DE LA ESCLAVITUD
A LOS
DERECHOS HUMANOS

Luis de Sebastián

DE LA ESCLAVITUD
A LOS
DERECHOS HUMANOS

LA FORMACIÓN
DEL PENSAMIENTO SOLIDARIO

EDITORIAL ARIEL, S. A.
BARCELONA

Diseño cubierta: Joan Batallé

1.ª edición: mayo 2000

© 2000: Luis de Sebastián

Derechos exclusivos de edición en español
reservados para todo el mundo:
© 2000: Editorial Ariel, S. A.
Córcega, 270 - 08008 Barcelona

ISBN: 84-344-1204-7

Depósito legal: B. 18.544 - 2000

Impreso en España

A todos los que mueren
por proclamar y defender
los derechos humanos,
especialmente, a:
Segundo, Nacho,
Amando, Pardito, Lolo,
Ignacio y Óscar A.

COMBATE LA ESCLAVITUD

nació antes
que cada hombre naciese
reposa
en cada uno de nuestros cerebros
esperando
el mínimo descuido
              signo de flaqueza
para rebrotar
truncando
el futuro
de todos
y cada uno de esos
holgazanes cerebros.

CHINCHO

DESDE EL EGOÍSMO A LA SOLIDARIDAD

La falta de solidaridad en una persona es el resultado del egoísmo. Por egoísmo entiendo el comportamiento habitual de la persona que concentra su atención y su energía en la búsqueda de su propio bien y no considera para nada el bien, la conveniencia o los derechos de los demás en todo lo que hace. El egoísmo es un comportamiento primitivo e inmaduro. Se observa en estado puro en los seres humanos cuando más indefensos son, en los bebés y en los niños, en los cuales el instinto de conservación domina los comportamientos de estas indefensas criaturas. Es un signo de madurez cuando pueden pensar en los demás y ordenar sus apetencias, deseos e inclinaciones a las demandas que genera la existencia de los otros.

Cuando se trata de una *polis* o de una sociedad políticamente organizada, cualquiera que sea su tamaño y su complejidad, caracterizamos la falta de solidaridad como un estado de cosas en que o bien reina la anarquía o una completa ingobernabilidad, o bien domina una dictadura de personas o grupos de personas que imponen arbitrariamente su voluntad a los demás. Es, en el ámbito colectivo, la misma situación de primitiva inmadurez que consiste en no reconocer la existencia, el valor y la dignidad, así como los derechos de los otros. Las sociedades también han tenido que crecer para salir de ese estado infantil.

En el curso de la historia, las sociedades organizadas han hecho una peregrinación lenta y penosa de situaciones de anarquía, desgobierno, arbitrariedad y dictadura, que no se han caracterizado por demasiado respeto a todos los individuos y a sus derechos, de todo lo cual la institución de la esclavitud es un resumen y compendio, a un estado de cosas con una buena gobernación, democracia y regímenes políticos que han respetado los derechos de todas las personas sin discriminación alguna.

En este libro se pretende dar una visión, necesariamente limitada, de cómo las ideas y los comportamientos de las personas y de las organizaciones políticas han ido evolucionando hasta llegar a hacer obvio y general un pensamiento y un comportamiento solidarios. En él se quiere mostrar cómo se ha pasado de la esclavitud a la proclamación y respeto —mayoritariamente y en lo sustancial— de los derechos humanos. Para ello las personas y los pueblos han tenido que vencer muchos obstáculos y librar muchas batallas. Han tenido que salir de un estado de indefensión, ganarse el control de la naturaleza, asegurarse la supervivencia y, en consecuencia, liberar el pensamiento de las ataduras del fanatismo y del dominio de las mentes.

He optado por incluir en el texto amplias citas de los autores que considero punteros y son como hitos en esta historia intelectual. Espero contribuir así a difundir el conocimiento de autores y pasajes esenciales en la evolución del pensamiento solidario.

Barcelona, 14 de diciembre de 1999

CAPÍTULO 1

UNA VISIÓN PANORÁMICA

En este capítulo voy a trazar, a grandes rasgos, la marcha del pensamiento humano hasta llegar a un concepto y un proyecto de solidaridad construidos con aportaciones contemporáneas de orígenes muy diversos. Como se trata de la historia de la formación de un concepto, es necesario al comienzo definir el concepto cuya historia intelectual trato de perseguir a través de los tiempos. Para ello voy a tomar algunas ideas de mi libro anterior sobre el tema *La solidaridad. Guardián de mi hermano.*[1]

La definición de la solidaridad

La definición que allí propongo es:

> El reconocimiento práctico de la obligación natural que tienen los individuos y los grupos humanos de contribuir al bienestar de los que tienen que ver con ellos, especialmente de los que tienen mayor necesidad.

Solidaridad para mí es la cualidad de un comportamiento (actuar con solidaridad) que lleva a reconocer en la práctica, cuando quiera que se presente la ocasión, que estamos obligados a contribuir y cooperar al bienestar de los demás. Es una cualidad de la acción de las personas y de los grupos humanos en la vida social. No es simplemente un tipo de discurso, una actitud o un talante, aunque no

---

1. Luis de Sebastián, 1996, *La solidaridad. Guardián de mi hermano*, Barcelona, Ariel.

desprecio, como luego veremos, ni el discurso ni el talante solidario. Pero la solidaridad no se puede quedar en eso. Es una cualidad de la acción, que por lo tanto sólo en la acción se manifiesta y se da a conocer, y sólo en la acción se realiza plenamente, completa el ser de la solidaridad.

El concepto de obligación natural evoca, obviamente, el Derecho natural o Derecho de Gentes, como lo llamaban nuestros juristas clásicos, que sería anterior e independiente de cualquier promulgación formal o sistema de derecho positivo establecido para regir una sociedad humana. Pero yo prefiero dar otro sentido a obligación natural que es menos metafísico que el anterior. En efecto, el sistema de Derecho natural postula la existencia, previa al conocimiento, de una naturaleza humana que se realiza repetitivamente en cada ser humano. Esta naturaleza humana lleva consigo, en las notas o elementos que la constituyen como humana (a diferencia de la de los animales y las plantas), unos derechos (a la vida, a la libertad, al culto religioso, etc.) y unas obligaciones (respetar a los padres, adorar a Dios, no hacer daño a nadie, etc.), que, aunque son básicos y elementales, fundamentan un sistema de derecho con muchas aplicaciones prácticas, que normalmente han sido reconocidas y sancionadas por los diferentes sistemas de derecho positivo.

Pues bien, mi definición no exige la aceptación del Derecho natural, sino solamente la existencia de un conjunto de obligaciones que nacen de la «condición humana», de las características objetivas de la vida de los seres humanos en la tierra en un momento dado de la historia de la humanidad. Obligaciones que nacen, entre otras:

a)   de nuestra misma mortalidad, que determina con toda certeza que mi vida y la de todos los que me rodean en la tierra está limitada a unos cuantos años, por lo menos en la forma corporal actual;

b)   de nuestra espantosa vulnerabilidad física (lo fácil que es herir y hacer sufrir a un cuerpo humano (¡pregunten si no a los torturadores!);

c)   y vulnerabilidad psicológica (pensemos en la vulnerabilidad de los niños; en los sufrimientos morales que nos infligimos los unos a los otros, el infierno de las depresiones);

d)   del hecho de que nuestro habitáculo, el planeta Tierra, es también limitado en recursos (alimentos, combustibles, oxígeno), en su capacidad de ofrecernos seguridad (plagado, como está, de huracanes, terremotos, inundaciones, incendios, etc.), en sus posibilidades de sobrevivencia (con la capa de ozono agujereada, amenazado por el efecto invernadero, la deforestación y la desertización, etc.);

e)   de la necesidad de trabajar juntos para extraer las riquezas de la tierra (¡sin la división del trabajo estaríamos todavía en las cavernas!);

f)   de la necesidad de comerciar y contratar para poder progresar en la reducción de las necesidades materiales;

g)   de la constante interacción intelectual e intercambio de ideas por medio de libros, televisión, cine y por los mismos productos que nos compramos unos a otros.

Los aspectos negativos de la «condición humana» histórica nos sugieren que estamos en una situación de emergencia, y que por lo tanto existe entre todos los hombres y grupos humanos ese nexo objetivo que hay entre los pasajeros de un avión o un barco en situación de peligro, un nexo que, al ligarnos unos a otros en nuestra limitación y fragilidad, puede convertirse en una fuente de energía suplementaria que cada uno por sí mismo no tiene. Lo que sugiere que, en esas circunstancias, el comportamiento individualista, no cooperativo, el «sálvese quien pueda» será con toda seguridad desastroso, suicida y criminal a la vez, y por lo tanto racionalmente rechazable.[2] Mientras que el esfuerzo colectivo para aceptar, asimilar y adaptarse con inteligencia y valor a lo efímero, vulnerable, dependiente e inseguro de la existencia humana conseguirá hacer que todos llevemos una vida más cómoda, más tranquila, más racional y humana, y podamos enfrentar la decadencia física y la muerte con la conciencia de haberlo pasado bien y de haber hecho que los demás lo pasaran bien también.

---

2.   El otro día oí en un programa de televisión que en Estados Unidos hay unos 30 millones de personas que sufren de depresión clínica.

Del lado positivo, esta «condición humana» en nuestros tiempos se caracteriza por la mayor unidad objetiva de la raza humana. Los transportes, los medios de comunicación, el comercio y la inversión, el aprendizaje de lenguas y el estudio de otras culturas, el establecimiento de instituciones mundiales (como el Sistema de Naciones Unidas, Banco Mundial, etc.), así como, por desgracia, las guerras y las emigraciones han hecho que el concepto de «mundo», como un globo terráqueo que nos contiene a todos los seres humanos con todas nuestras diferencias, sea algo real, al menos en la conciencia de gobernantes, políticos, hombres de negocios, escritores, artistas o simples viajeros. El nexo objetivo que nos une física y materialmente a los hombres, como soñaron los positivistas de Augusto Compte y los saint-simonianos con su visión de construir canales interoceánicos y ferrocarriles transcontinentales,[3] es ahora más fuerte que nunca en la historia de la humanidad, lo cual aumenta nuestra interdependencia y la necesidad de que ésta esté bien ordenada.

De lo dicho en los dos párrafos anteriores se deduce fácilmente la existencia de una obligación natural de algún tipo de cooperación, que habrá que precisar más, por supuesto, donde «natural» no se opone a «sobrenatural» o religiosa, ni a positiva (de derecho positivo), sino que significa, simplemente, inherente y congénita a los seres humanos que habitan ahora el planeta Tierra. «Natural» se opone también a intencional o pensada (algo que reside en el pensamiento únicamente) y equivale a física, objetiva o fundada en la naturaleza de las cosas (*a parte rei*, decían los escolásticos), pensemos en ella o no. Reconozco que son conceptos fuertes que tendré que probar más adelante.

Contribuir al bienestar de los demás es una expresión general y un tanto humilde. En mi anterior libro traté a fondo en qué manera y medida se puede y debe contribuir al bienestar de los demás, así que ahora no habría que preocuparse mucho por la relativa vaguedad del término. Sin entrar en una discusión de lo que constituye la felici-

---

3.   Fernando de Lesseps, que construyó el canal de Suez e intentó el de Panamá, frecuentaba los círculos de los seguidores de Saint-Simon.

dad de los individuos y el bienestar de las sociedades, «contribuir al bienestar» implica ante todo ayudar a los demás en sus necesidades y consolarles en sus sufrimientos, cuando éstos sean irremediables, ayudarles a salir de cualquier situación indeseable, peligrosa, contraria a la dignidad del hombre. Y colaborar en lo positivo a su desarrollo personal, moral, económico y político, contribuir, en una palabra, a que lleven una vida digna, de acuerdo a la razón, con sentido y feliz en la medida de lo que permite la condición humana. Esto naturalmente en el ámbito personal. La definición también implica el contribuir a suprimir o fomentar las situaciones y circunstancias de una sociedad o grupos humanos en que los individuos se ven afectados de la manera mencionada.

Hablamos de «contribuir» sabiendo que no somos la Providencia, que no somos más que limitados seres mortales con poco poder y poca voluntad para procurar el bienestar de los otros. Desgraciadamente, solemos tener más poder para traer el malestar y para acarrear desgracias e imponer sufrimientos a otros que para hacerlos felices, aunque no siempre. Hay relaciones especiales que confieren a unas personas más poder sobre otras, para bien o para mal, de lo que es normal entre iguales. Por ejemplo, dentro de la familia los padres tienen una capacidad muy grande de afectar el bienestar de sus hijos, como tienen los propietarios de tierra sobre los trabajadores que viven en ella, como los directores de empresa sobre sus asalariados, y en general quienes acumulan poder sobre los demás contribuyen en mayor medida a su bienestar o malestar. Esto vale para gobernantes, ricos, sacerdotes, periodistas, y todos los que en casos concretos disponen de las fortunas y aun de las vidas de los demás, como un general dispone de la vida de los soldados en una batalla. Esta consideración, sin embargo, no debiera desanimar a nadie, porque todos tenemos en nuestras relaciones personales una cierta capacidad de contribuir al bienestar de los demás, y en las sociales también en la medida en que somos miembros de una sociedad democrática donde podemos votar, participar, pedir una determinada legislación y censurar a los gobernantes.

En la misma definición se admiten grados en el ejercicio de la cualidad que definimos. Por una parte, el contribuir admite grados, como acabamos de ver, según la posición y la capacidad de las personas. Por otra, hablamos de «los que tienen que ver con nosotros», indicando que el «tener que ver» (estar relacionados y próximos) es relativo y admite grados de proximidad, de manera que estaría implícito que cuanto más tiene que ver alguien con nosotros, más solidaridad tenemos que ejercitar con ella o con él. Esta formulación, sin embargo, me crea dificultades. Porque como en este libro voy a defender la solidaridad internacional, que es solidaridad con gente que está muy lejos de nosotros, me veo en la precisión de demostrar que esas personas lejanas y desconocidas también tienen que ver con nosotros, contigo y conmigo, españoles que vivimos en la España próspera de finales del siglo XX.

He añadido al final de la definición «especialmente de los que tienen mayor necesidad» para priorizar y poner en primer plano las necesidades mayores, las más graves, las más urgentes, las más hirientes y más intolerables, precisamente porque, siendo las necesidades incontables, la acción para ser más eficaz tiene que beneficiar a los que objetivamente están peor, a los que necesitan más que los demás. Porque en este terreno no basta la intención; las acciones bien intencionadas pero sin efectos prácticos no acaban siendo solidarias.

Una vez definida la solidaridad y explicada su definición, tenemos que completar la comprensión de su significado, relacionándola con otros conceptos afines, que se van formando a través de la historia, como democracia, fraternidad, derechos humanos, etc. Porque el sujeto de la solidaridad (¿quién tiene que ser solidario/a?) no es solamente la persona humana, hombre o mujer, sino también los colectivos de personas. Cualquier *polis* o sociedad humana políticamente organizada, cualquiera que sea su tamaño, es sujeto de solidaridad. Su organización y su funcionamiento tienen que cumplir las obligaciones que dicta la solidaridad. En mi libro sobre la solidaridad he tratado de desentrañar qué obligaciones son las de la *solidaridad política*, que distingo de la personal o cívica, que trato más bien en *Los diez mandamientos* (Ariel, 1998). En la presente búsqueda histórica, este tipo de solidaridad es el más importante. Esto se irá viendo a lo largo del análisis.

A nadie se le oculta la inspiración cristiana de mi pensamiento, aunque sea remota, pero también es obvio que en él hay mucho más que un pensamiento religioso primitivo y fundamentalista. Porque no bastaría. Las realidades políticas del mundo moderno, especialmente las vividas en el mundo pobre, han configurado mi manera de ver el mundo. El pensamiento solidario moderno con todas las consecuencias prácticas que tiene, aunque haya tenido su semilla en el Evangelio, ha necesitado mucho tiempo para llegar a las proposiciones y argumentos modernos y a promover las acciones que se consideran solidarias —y rechazar las insolidarias— actualmente.

El pensamiento occidental primitivo

Este libro tiene una limitación obvia, derivada del hecho de que sólo contempla la formación del pensamiento solidario en la llamada «civilización occidental», europea, la nuestra. En este sentido podría ser tachado de etnocéntrico, porque no considera otras fuentes del pensamiento solidario como pudiera ser el budismo, el sintoísmo, las «religiones de la tierra» de los mayas, o las creencias de los esquimales. Dada la limitación de la tarea que me he impuesto, debo comenzar reconociendo que en culturas diferentes a la nuestra las raíces de su solidaridad se hunden en tradiciones y costumbres diferentes a las nuestras. Es decir, que la solidaridad no sólo se produce en el ámbito de la tradición judeo-cristiana, revestida con ropajes filosóficos grecolatinos, sino que se da y se expresa con fórmulas culturales diferentes en todas las partes del mundo. Pero dado que este libro se dirige sobre todo a lectores del ámbito cultural europeo y latinoamericano, no tiene graves inconvenientes la confesada limitación.

El pensamiento occidental proviene de las filosofías de la Antigüedad, principalmente de los grandes maestros Platón y Aristóteles, los cuales nos han llegado a nuestras orillas por medio de traductores, divulgadores e imitadores. El pensamiento solidario en este contexto filosófico tiene unos comienzos balbucientes y poco claros. La Antigüedad clásica aceptaba la esclavitud como pieza clave de la organización social y económica de las ciudades griegas y más tarde del Imperio romano. La noción de la igualdad natural de los seres humanos y de la igualdad de sus derechos es ajena a esta cultura y a sus pensadores. Aunque en Platón encontramos elementos de comunismo y de solidaridad en el uso de los bienes materiales (e incluso de las mujeres), su concepción de la sociedad es elitista y exclusivista. Por eso vemos a Aristóteles justificando la esclavitud, así como el dominio del hombre sobre la mujer y la sujeción de los hijos al padre en el seno de la familia, por los beneficios que esta situación acarrea a los que la sufren. La evolución del pensamiento clásico hacia los conceptos del hombre y de la mujer que hoy aceptamos comienza quizás con la escuela estoica cuyos miembros parecen precursores en muchas cosas del pensamiento cristiano: la ley natural, la providencia (el «fatum» o la voluntad de Dios) como fuer-za que determina la suerte de las personas, el desprecio de las cosas materiales, la igualdad de los hombres y la misericordia.

El pensamiento cristiano primitivo (el de los tres o cuatro primeros siglos de la Era cristiana) es una mezcla de conceptos griegos, como es toda la filosofía del «verbo» que se emplea para conceptualizar la divinidad de Cristo y el misterio de la Trinidad, con los valores sociales y reglas de comportamiento de origen judío (como el prejuicio contra la carne), enraizadas en las culturas semitas del Medio Oriente. Es un pensamiento muy solidario al principio, que fundamenta la vida diaria de los cristianos en comunidades pequeñas y homogéneas, pero que no sirve para inspirar la organización del Imperio romano, una vez que se convierte el emperador Constantino (313) y el cristianismo se convierte en la religión oficial del imperio. El cristianismo, con toda su elevación filosófica y moral, no es suficiente como fuerza social para abolir la esclavitud ni eliminar las prácticas bárbaras de aquellos pueblos primitivos que se van convirtiendo a la religión de Roma.

El pensamiento cristiano medieval

El pensamiento cristiano medieval, que es la base del pensamiento occidental, recoge y trenza de una manera muy característica la filosofía social de dos grandes tradiciones culturales: la judía y la griega. En grandes líneas podemos decir que el pensamiento cristiano afirmó la igualdad teórica, en principio, de todos los hombres sobre la base de su igualdad teológica, es decir, por ser criaturas de Dios, por haber, sin embargo, nacido con el pecado original, todos menos la Virgen María, y de haber sido redimidos *a radice* por la sangre de Cristo. Pero no llegó hasta afirmar la igualdad de las personas en la vida social. Tardó, por ejemplo, muchos siglos después de Cristo en rechazar la esclavitud. Para los teólogos cristianos que eran los encargados de interpretar la historia y la sociedad, la igualdad teológica era compatible con la desigualdad social en virtud de un supuesto «plan divino» que, por razones inescrutables, había colocado a unos pocos arriba, a otros muchos abajo y a unos cuantos en el medio, pero a todos en el lugar que les «convenía para su salvación eterna» en la otra vida. Este estado o posición social en que la gente nacía formaba parte del designio providencial de Dios para con cada persona, que sólo raramente por virtudes eximias (caso de los dignatarios eclesiásticos) o méritos heroicos (caso de los guerreros) o por pura suerte (aventureros y comerciantes) podía cambiarse. De hecho, incluso mirando las cosas de tejas abajo, éstas eran prácticamente la única forma de cambiar de estado en la sociedad. La religión y la guerra de conquista fueron durante muchos siglos las únicas avenidas de movilidad social. Pero la falta de movilidad, que era lo más normal en sociedades estancadas, de poco crecimiento económico, y escaso auge poblacional, se tomaba como una necesidad del orden divino de las cosas.

Como, por otra parte, se necesita ordenar la sociedad, la imagen del orden se toma de los cielos, por así decir. Como la sociedad cristiana tiene una religión monoteísta y una Iglesia que es monárquica, se da por supuesto que la monarquía política es también en el terreno humano parte del mismo plan de Dios, con sus rigurosas estratificaciones de la nobleza para abajo. El poder es conferido por Dios al soberano, el cual lo tiene que usar para el bien más común y general de la sociedad, lo que en teoría supone una limitación intrínseca a su poder. En la práctica, sin embargo, esta supuesta procedencia divina del poder real, mediado a lo largo de la Edad Media por el poder del Papa, se tomó como un refrendo para el absolutismo monárquico. De estas concepciones resulta la paradoja de una sociedad cristiana sumamente desigual formada por seres iguales a los ojos de Dios.

En este pensamiento, sin embargo, están las raíces de la solidaridad, un árbol que habría de dar frutos muchos siglos después, porque afirma el «amor al prójimo» como una señal visible del amor invisible a Dios. El problema era la traducción social de ese amor al prójimo, que se entendía más como una obligación de caridad con los pobres y de perdón a los enemigos individuales —no a los enemigos de la fe— que como un ordenamiento de la sociedad que garantizara la igualdad, el respeto a las personas y un mínimo de bienestar material a todos sus miembros. Sólo la Doctrina Social de la Iglesia a partir de Pío XI, y más radicalmente la teología de la liberación, han sacado las últimas conclusiones lógicas de la obligación de amar al prójimo que predica el Evangelio. Estas consecuencias exigen que los cristianos hagan todo lo que esté en su poder para eliminar todas las formas sociales de tiranía, represión, explotación, tolerancia ante la injusticia y la pobreza. Pero para llegar aquí el cristianismo tendría que sufrir muchos golpes.

La emancipación del hombre en la Edad Moderna

Los sucesivos movimientos que fueron llevando a cabo la emancipación del hombre, el Renacimiento, la Reforma, la Ilustración, fueron gradualmente dando al hombre una autonomía propia. En primer lugar, liberaron su mente en cuestiones filosóficas y teológicas —o simplemente de sentido común— del dogmatismo de la teología, al introducirse el «libre examen» y la interpretación personal del mensaje revelado que implantaron algunos reformadores. Además, devolvieron a la razón humana la facultad de encontrar por sí misma la verdad (que la Tierra gira alrededor del Sol, por ejemplo, a pesar de que la Biblia dice que Josué pidió a Dios que «detuviera al sol» para poder acabar con sus enemigos), aun a riesgo de equivocarse.[4] El derecho de todo ser humano a equivocarse se eliminaba con el magisterio infalible de la Iglesia. Después, le liberaron al hombre de las concepciones sociales impregnadas del fatalismo teológico de las sociedades medievales sin movilidad social.

En la Edad Moderna los hombres pueden desarrollar sus talentos y cambiar su posición social por medio del ejercicio del comercio y de la banca (que dejan de ser considerados como graves pecados), por los viajes, el conocimiento de otros pueblos y otras religiones, la lectura y el dominio de las leyes de la naturaleza, el desarrollo de la literatura y las artes, en una palabra, por el ejercicio de sus talentos y facultades espirituales, además de la movilidad tradicional que proporcionaban la religión y la guerra de conquista. Y así cultivando las facultades del espíritu humano: la inteligencia, la sensibilidad para lo proporcionado y bello, el afán de experimentar, la curiosidad para descifrar los secretos de la naturaleza, etc. Los hombres renacentistas se pueden sentir con razón superiores a reyes y nobles, normalmente mucho más incultos, iletrados y zafios que ellos. De ahí sólo hay un paso a proclamar la igualdad de los seres humanos.

La conquista de la igualdad

Una vez que se rompió el tabú religioso de un orden divino que sancionaba la superioridad de reyes, obispos, nobles y dignatarios sobre los demás, y confinaba a cada persona a los estrechos límites de su destino al nacer, se

---

4. Que es precisamente el problema que encontró Galileo: «Eppure si muove» (A pesar de todo se mueve).

hace evidente que lo que distingue a las personas es lo que cada cual haga con sus talentos y capacidades. La posición social no hace a los hombres distintos. Los hombres son radicalmente iguales en la medida en que están dotados todos de las mismas potencialidades, nazcan en la cuna que sea. «Todos los hombres han sido creados iguales», dice la Declaración de Independencia de Estados Unidos en 1776. Así, poco a poco, se va afirmando en el pensamiento occidental el principio de la igualdad de todos los seres humanos, aunque con la monumental inconsecuencia de la esclavitud. Porque, por ejemplo, cuando los miembros de la Asamblea Constituyente de los Estados Unidos pronuncian el: «We the people» (Nosotros, el pueblo), no se cuentan ni a los indios nativos ni a los esclavos africanos. Y la esclavitud no es la única inconsecuencia del humanismo ilustrado de los siglos XVII y XVIII. La discriminación práctica de la mujer es todavía mayor.

La afirmación de la igualdad de todos los hombres en sí mismos y ante la sociedad, que debe atribuir a todos los mismos derechos y obligaciones, presenta el problema de la justificación del estado y del origen del poder político. Hay que explicar la necesidad de aceptar una autoridad a veces fuerte sobre la sociedad de iguales. El Humanismo y la Ilustración, como luego el Liberalismo, no fueron en absoluto movimientos anarquistas que exigieran el fin del Estado. Hubiera sido poco realista porque muchas de estas ideas se desarrollaron en tiempos del fortalecimiento de los diversos Estados-naciones de Europa. Las generaciones anteriores habían resuelto el problema aceptando que el poder viene de Dios y se transmite a través de la línea de sucesión al trono. Pero ¿qué sucede si el poder viene del pueblo, es decir, de un conjunto de seres humanos con los mismos derechos todos? De ahí surge la teoría sobre la constitución de la sociedad, el «contrato social», el origen del poder como emanado del pueblo, los límites de este poder y los sistemas para controlarlo, etc. Estamos en el pensamiento democrático.

Muchas de estas ideas cuajan en la Revolución francesa (con su lema «Libertad, Igualdad, Fraternidad») con la liquidación del Ancienne Régime y la instauración en

Europa de la primera gran república de la Edad Contemporánea, en la Revolución americana, mucho más democrática que la francesa, que llevó a la independencia de Estados Unidos, en el movimiento de independencia de las colonias españolas y, finalmente, en los movimientos para democratizar las monarquías al estilo de la revolución constitucionalista del Reino Unido.

El socialismo y la solidaridad

Por otra parte, el desarrollo de tecnologías para replicar a gran velocidad y con mayor fuerza los movimientos humanos en los procesos de fabricación, resultado de la aplicación de las ciencias al quehacer humano, con el consiguiente desarrollo de máquinas y el surgimiento de fábricas, produjo una revolución en la industria, y de rebote en la agricultura y en todo el sistema económico.[5] La «revolución industrial» hizo reorganizar de nuevo las relaciones económicas de los ciudadanos. Se generalizan los contratos de trabajo que ligaban a personas libres —es decir, sin vínculos feudales, de servidumbre, a los que les daban trabajo— por un tiempo determinado a un salario pactado. Los tiempos y salarios se pactaban, naturalmente, en unas condiciones totalmente asimétricas, donde todo el poder de negociación, y por lo tanto el de fijar los términos del contrato, residían en una parte, el empresario-capitalista.

La generalización de unas relaciones laborales entre personas iguales ante la ley y libres para trabajar o no trabajar, una situación nueva en la historia de la humanidad, trajo consecuencias importantes para la sociedad. Durante un período muy grande del siglo XIX, los trabajadores industriales, llamados entonces «obreros», que fueron

---

5. Lo cual fue económicamente posible por la existencia de grandes —por lo menos para la época— capitales acumulados en el comercio colonial, es decir, por medio de la explotación de las colonias, la «acumulación primitiva» que diría Marx. Este capital financió las innovaciones tecnológicas, las máquinas, y la construcción de lugares grandes de trabajo en común, fábricas, así como los medios de transporte necesarios para llevar al mercado una producción que creció a un ritmo vertiginoso, los ferrocarriles.

aumentando de número con el éxodo del campo a la ciudad, vivieron en condiciones materiales precarias: trabajando largas horas (jornadas de 14 horas eran corrientes), en condiciones de peligro, a veces grave, para su salud y sus vidas (en minas y en fábricas), ganando lo justo quizás para mantenerse, pero no lo necesario para llevar una vida urbana digna en cuanto a la vivienda, salud, educación, cuidado de los hijos, etc.

Aunque visto desde este fin de siglo, las condiciones fueron mejorando mucho a lo largo del siglo XIX, al aumentar la productividad del trabajo y las retribuciones de los obreros; sin embargo, hubo períodos en que los trabajadores pasaron grandes penurias. Entre ellos había el sentimiento de que contribuían a crear mucha riqueza que les pasaba por delante sin beneficiarles nada, de que el trabajo en las fábricas rendía enormes ganancias a los capitalistas por los enormes aumentos de «su» productividad y que esos aumentos no se traducían en una mejora equivalente, guardando las proporciones, por supuesto, de los niveles de vida de los obreros. Tenían, pues, la sensación de ser tratados mal, de no ser pagados en una proporción justa a lo que producían, de ser explotados. Marx se encargaría de definir precisamente en qué consiste la explotación capitalista.

En ese medio nace el socialismo como una consecuencia y una extensión del pensamiento humanista, ilustrado, igualitario y liberal. Si los hombres somos todos radicalmente iguales y todos tenemos los mismos derechos y obligaciones ante la ley, ¿por qué esta nueva clase de trabajadores, los de la industria, viven tan mal y sobre todo reciben una parte muy pequeña de la riqueza que ellos contribuyen a crear con sus esfuerzos y aun con su vida? Ésta es la pregunta central que los distintos socialismos tratan de responder. Responden en términos generales que la producción industrial y la sociedad que se ha formado sobre ella están mal organizadas. La economía de mercado dejada a sí misma genera pobreza. Hay que organizar la sociedad, sobre todo las actividades productivas de la industria, de una manera diferente. Lo esencial sería que los obreros tuvieran una participación equitativa en lo que producen, lo cual, obviamente, se podría realizar de muchas maneras. La más radical es que los obreros obtengan la propiedad de los medios de producción, en una palabra, que las fábricas sean de ellos. Pero aquí también habría muchas formas distintas de organizar esta clase de propiedad. La que hemos conocido históricamente es que el Estado tomó la propiedad de los medios de producción y se puso a dirigir la vida económica «en nombre» de los trabajadores.

En cualquier caso, la reorganización socialista de la sociedad no podría llevarse a cabo sin una lucha política contra los propietarios y los poderes políticos que defendieran la organización histórica de la propiedad vigente, que a ellos les beneficiaba y no estaban dispuestos a abandonar sin oponer resistencia. Esa resistencia tomó con demasiada frecuencia la forma de represión política y aun armada de los movimientos obreros. A esta contraposición de intereses en la arena política la llamaría Marx «lucha de clases». Para ella, los trabajadores, que individualmente estaban a merced del empleador, tenían que unirse, organizarse, colaborar en una lucha política diaria en el ámbito de la fábrica, de la industria y de toda la economía. El hecho de que se congregara físicamente a los trabajadores en un espacio cerrado, la fábrica, para realizar sus tareas, una novedad en la manera de trabajar de la humanidad, ofrecía una ocasión única para la organización, para ponerse en contacto, animarse, colaborar y llevar adelante los objetivos de la organización. Así comienzan los primeros movimientos sindicales; en 1830 comienza el movimiento «cartista» en Inglaterra, y los frentes políticos para defender sus intereses que son los partidos laboristas y socialistas.

Con el socialismo empieza a hacerse común el discurso de la solidaridad, aunque sólo fuera la solidaridad de clase. Los trabajadores se encuentran en una situación común, de necesidad material, desprotección económica y legal (aceptan las condiciones del contrato de trabajo o se van a la calle), forzados a entrar en los mercados laborales modernos bajo una no tan sutil represión jurídica (leyes de «vagos y maleantes») y cargando con el peso de la rápida acumulación del capitalismo primitivo de entonces (con salarios bajos). En esa situación en que todos coincidían surge la necesidad y el deseo de ayudarse, de luchar conjuntamente por causas que beneficien a todos: reducción de la jornada laboral, legislación para mejorar las condiciones sanitarias del trabajo, negociaciones salariales, etc. Las luchas sindicales y laborales se convierten en una escuela de solidaridad. Y se comienza a hablar de una solidaridad internacional, cuando se reconoce que la suerte de los trabajadores de todos los países (principalmente industrializados o en vías de industrialización) es semejante, sus intereses en apariencia los mismos, y que la lucha por su emancipación tiene que extenderse al mismo ámbito en que se mueve el capital, que a finales del siglo XIX es ya internacional.

La generalización del pensamiento solidario

Pero el discurso no va siempre con la práctica. La primera guerra mundial que enfrentó en los barros sangrientos y en las calles de Europa a obreros de los dos bandos beligerantes fue un duro golpe a la idea de la solidaridad internacional. De la guerra sale la necesidad de asegurar una paz permanente y una institución mundial, la Sociedad de Naciones, para evitar que los países resolvieran sus problemas a tiros. La idea de una nueva forma de cooperación, más desinteresada que las alianzas clásicas, y la solidaridad entre países y personas de distintas latitudes va entrando en el pensamiento occidental. Se cultiva también en medios no socialistas (la Doctrina Social de la Iglesia católica, por ejemplo), en parte por reacción al discurso socialista, para corregirle y enmendarle sobre todo en su concentración en una clase social, en parte por las experiencias tan terribles de guerra, crisis económicas, desempleo y frustración, que se fueron acumulando hasta que estalló la segunda guerra mundial.

El haber luchado contra regímenes totalitarios con grandes pérdidas materiales y de vidas humanas convenció a los pueblos y a la mayoría de las personas del mundo después de 1945 de que había que garantizar con una institución más eficiente que la Sociedad de Naciones no solamente la paz y la solución pacífica de los conflictos, sino como medidas complementarias promover el respeto a los derechos humanos, liquidar las colonias y establecer una situación de prosperidad para todos los pueblos. Casi nada. La Carta de las Naciones Unidas y sobre todo la Declaración Universal de los Derechos Humanos, adoptada por la Asamblea General de las Naciones Unidas el 10 de diciembre de 1948, son documentos que consagran la solidaridad de la raza humana en la consecución de los fines más elevados que se puede proponer.[6] Como nos ha dado la experiencia, los buenos deseos plasmados en ese documento no han sido suficientes para evitar guerras (Grecia, Corea, Vietnam, Malvinas, Grenada, Angola, Panamá, Golfo Pérsico, Bosnia, Somalia, Etiopía, Chad, bombardeos a Irak y a Serbia, guerras civiles en África, etc.), grandes movimientos migratorios, catástrofes económicas, el aumento de la pobreza, ni han podido erradicar la represión, la tortura y la falta de respeto a los Derechos Humanos, ni eliminar las carreras de armamentos. Sin embargo, sus infatigables iniciativas y su mera presencia, aunque tan poco efectiva a veces —tipo Bosnia—, rinde testimonio de los ideales que se ha fijado la humanidad, aunque sea incapaz de obtenerlos. Uno de estos ideales es la solidaridad entre los pueblos y en especial para con los grupos humanos más pobres, más reprimidos y que más sufren.

Así, gradualmente, se ha llegado a un convencimiento de que para que los humanos podamos sobrevivir en este pequeño planeta que llamamos Tierra, de recursos naturales y posibilidades físico-químicas limitadas, para que podamos sobrevivir todos, sin basar la supervivencia de unos grupos en la ruina y destrucción de otros, es necesario un comportamiento de todos, que reconociendo las limitaciones que todos soportamos, nos lleve a organizarnos y relacionarnos de tal manera que todos ganemos a la

6. Primer considerando del Preámbulo: «Considerando que el reconocimiento de la inherente dignidad y de derechos iguales e inalienables de todos los miembros de la familia humana es el fundamento de la libertad, de la justicia y la paz en el mundo.»

vez. Este comportamiento realista y optimista, racional y generoso, que cree en la necesidad de ceder algo para poseer lo que se posea en tranquilidad interna y externa, que afirma la igualdad radical de todos los seres humanos en cuanto a la capacidad y el derecho de disfrutar de los bienes materiales y los del espíritu, es la solidaridad.

CAPÍTULO 2

LA ANTIGÜEDAD CLÁSICA PAGANA

Vamos a comenzar el seguimiento de la formación del pensamiento solidario en las fuentes precristianas de nuestra cultura occidental. Las visiones del «otro» que nos ofrece la Antigüedad clásica son bastante limitadas y borrosas. Una sociedad que había institucionalizado la esclavitud como base de sustento de los ciudadanos libres, que eran una minoría de todos los habitantes de la *polis* antigua, no parece poder ofrecer ni siquiera atisbos de la solidaridad que conocemos en nuestros días. Y, sin embargo, al haber afirmado las bondades de la democracia como marco de las relaciones entre ciudadanos libres y de la amistad como vínculo ideal en las relaciones personales, aunque fueran restringidas, nos legan conceptos y aptitudes para que la posteridad los extienda a otras categorías de personas. En el pensamiento de los estoicos, encontramos también formulaciones sobre las relaciones humanas que podemos considerar como los primeros balbuceos del pensamiento solidario.

El predominio de la esclavitud. Las condiciones del mundo antiguo

La esclavitud era para el esclavo la consecuencia natural de la derrota militar, el castigo por delitos determinados, la forma de pagar deudas, o un *modus vivendi* para quien no tuviera otra alternativa. Lo esencial del esclavo era la pérdida de la facultad de disponer libremente de su persona, la privación de su libertad de movimientos, de elegir trabajo u ocupación, de establecer el tiempo en que los tenía que ejercitar, es la privación de libertad para establecer relaciones personales, tener amigos, casarse, tener hijos. El esclavo era un objeto, un elemento animado de un sistema de propiedad, una mercancía para la que había mercado con sus compradores y vendedores. La condición del esclavo es la negación de la dignidad, la soberanía y la autonomía de la persona. Es negarle la calidad de ser «otro», alguien como yo, una variante de mi misma esencia, de mi humanidad. Es la negación más total y absoluta de la solidaridad entre personas.

De allí proviene la humanidad. La esclavitud obviamente no fue practicada exclusivamente por nuestros ancestros griegos y romanos, aunque pocos teorizaron tanto sobre el fenómeno. Los egipcios emplearon esclavos para construir sus pirámides y monumentos. La descubrimos en las Américas entre sus primeros pobladores. Ya existía en el Medio Oriente, como podemos leer en la Biblia. La practicaron los árabes en África, con el pretexto de que los negros eran réprobos descendientes de Cam, el hijo malo de Noé, aunque el Corán les recomienda que traten bien a los esclavos. De los árabes aprendieron a esclavizar a campesinos africanos los aventureros y traficantes portugueses, españoles, ingleses, holandeses y norteamericanos, entre otros. Con el desarrollo del transporte y la expansión del comercio colonial, la esclavitud se convirtió en un negocio moderno, organizado y financiado con la racionalidad propia de la revolución industrial. En su día, la práctica de coger esclavos y hacerlos trabajar para los amos supuso un cierto progreso, en cuanto esa práctica reflejaba el asentamiento de las poblaciones, la vida sedentaria, la urbanización y el establecimiento de trabajos estables como la agricultura y la minería. Los esclavos se necesitaban para cultivar la tierra y trabajar en las minas, además del servicio doméstico en las casas y palacios, y se emplean también para divertir a los ciudadanos, con luchas en el circo, por ejemplo, y otras atracciones.

En la Grecia antigua, la esclavitud era pieza esencial en la división del trabajo, que permitía a los ciudadanos dedicarse a las letras y a la filosofía, mientras los esclavos producían riqueza para la *polis*. Los filósofos griegos no pudieron superar esta conveniente lógica y no criticaron la institución de la esclavitud. Más aún, los grandes maestros elevaron este arreglo institucional, eminentemente egoísta y pragmático, a una categoría del orden del mundo: ¡alguien tenía que hacer el trabajo sucio! Aristóteles, por ejemplo, mantenía que la distinción entre amos y esclavos estaba determinada biológicamente. Recomendaron, sin embargo, el buen trato a los esclavos leales, sin excluir la manumisión o libertad parcial a quienes fueron buenos servidores, lo que permitía a los esclavos seguir haciendo lo mismo aunque con otra situación social (en lo referente, por ejemplo, a casarse y tener hijos). Los griegos, en general, trataron bien a sus esclavos, por lo menos en comparación con el trato que dieron los romanos a los suyos.

En Roma la expansión constante del imperio durante por lo menos dos siglos hizo necesario el uso intensivo de esclavos para trabajar los campos, laborar en las minas, cuidar las propiedades rústicas y urbanas, y el servicio doméstico. Los esclavos fueron también alistados en las legiones romanas, primero en funciones de intendencia o como zapadores y posteriormente como combatientes de primera línea. Las mismas victorias que ensanchaban el imperio ensanchaban el «parque» de esclavos. Los romanos hicieron cientos de miles de esclavos en sus diferentes guerras de conquista y la población de esclavos creció hasta tal punto, que la proporción de esclavos a ciudadanos libres se hizo tan superior para aquéllos que se temió por el orden y la estabilidad de la ciudad. En consecuencia, el trato a los esclavos se hizo cada vez más duro, por el mismo miedo de los ciudadanos a las insurrecciones, como la de Espartaco, que amenazaban la paz social y el buen orden de las instituciones romanas. Al final del imperio, y en la medida en que las conquistas se redujeron, el número de esclavos se estabilizó y los tratos se humanizaron. En parte por la influencia de los filósofos estoicos y en parte por la influencia del cristianismo, que empezó a hacer prosélitos entre los ciudadanos libres. El cristianismo atrajo también a muchos esclavos a sus filas.

El hecho de que la esclavitud fuera considerada durante tantos siglos como una situación normal y conviviera con formas de religión de gran elevación mística y moral, que predicaban la noción de que todos los seres humanos habían sido creados por Dios y redimidos por la sangre de Cristo, es un escándalo histórico que las personas de nuestros días apenas pueden comprender. La abolición de la esclavitud, una práctica que tuvo vigencia durante tanto tiempo sin que las religiones pudieran con ella, muestra cuánto se ha avanzado en el reconocimiento de la dignidad y el respeto a la persona humana, a pesar de todas las prácticas modernas de esclavitud que lo contradigan. De todas maneras, mucho antes de que se aboliera la esclavitud existieron voces que desde diversas perspectivas reclamaron que se pusiera fin a una práctica tan inhumana.

La esclavitud de indios fue denunciada en España por fray Bartolomé de las Casas y otros religiosos y críticos de la conquista, como veremos más adelante, aunque se toleró la esclavitud de los negros. No fue hasta que las revoluciones americana y francesa a finales del siglo XVIII, con todas sus retóricas proclamaciones de los derechos y de la igualdad de todos los seres humanos, obligaron a la gente pensante a plantearse si estas declaraciones no estaban en contradicción con la práctica de la esclavitud. Dinamarca fue el primer país europeo que abolió el comercio de esclavos en 1792. Inglaterra lo prohibió en 1807 e influyó en el Congreso de Viena de 1814 para que los demás países europeos hicieran lo mismo. Poco a poco, los países europeos fueron prohibiendo el tráfico de esclavos, aunque éste siguió ilegalmente. En vista de lo cual Estados Unidos y Gran Bretaña, en virtud del Tratado de Ashburton en 1845, se comprometieron a patrullar las costas de África para evitar el tráfico, ya mayoritariamente ilegal, de esclavos. Los franceses emanciparon a sus esclavos en 1848, muchos años después de que los esclavos de Haití se rebelaran y formaran un país independiente. Casi todos los países latinoamericanos abolieron la esclavitud a su independencia, menos Brasil que no abolió la esclavitud hasta 1888. Pero en 1926 todavía la Sociedad de Naciones, en vista de que continuaba el tráfico de esclavos, se vio en la necesidad de condenarlo de nuevo en una Convención Internacional contra la Esclavitud que obligaba a los países firmantes a acabar con esta situación ya considerada generalmente como indigna e inmoral. Las Naciones Unidas en 1956 ratificaron este convenio y recordaron a sus miembros los términos de esta condena. En 1999 todavía quedan algunas formas de esclavitud, o situaciones equivalentes a la esclavitud, lo que delata la tendencia humana a aprovecharse por todos los medios posibles del trabajo de los demás. Por eso creemos que la humanidad no ha culminado el proceso de aprendizaje del reconocimiento total y consecuente del «otro», ni ha llegado a las cotas de solidaridad que consideramos ideales. Pero no cabe duda que en ésta, como en otras materias, se ha avanzado mucho y que el impulso para abolir las prácticas «infantiles» de siglos pasados sigue pujante y acabará imponiéndose.

Democracia aristocrática. Platón y Aristóteles

Tanto Platón en la *República* como Aristóteles en la *Política* pergeñan regímenes políticos democráticos, en total oposición a las tiranías de la época. Son, sin embargo, democracias restringidas, porque en ellas los derechos de elegir y ser elegido, de opinión y de consejo están limitados a los ciudadanos libres, con exclusión de las ciudadanas libres, las mujeres, los trabajadores manuales, los siervos y los esclavos. Son democracias aristocráticas, donde sólo «los mejores» (οι αριστοι) son detentadores de los derechos políticos que modernamente se atribuyen a toda la población. Son también quienes debe gobernar a los demás. La excelencia se pone en el cultivo de la ciencia y de la virtud, en el dominio de la racionalidad sobre los instintos. Por lo tanto, lo que capacita a la persona para acceder al gobierno de la polis es una cualidad inherente a la persona y no una circunstancia externa, como el haber nacido hijo de un rey, o haber sido designado por un dios. No es una diferencia despreciable, porque mientras la cualidad inherente a la persona se puede cultivar, las circunstancias que determinan la situación de las personas en la vida están totalmente fuera del alcance y del esfuerzo de la persona.

Las personas, al nacer, según Platón, podían escoger el camino de la filosofía tanto como el del ejército o el del mercado, los tres órdenes principales en que se articulaban los ciudadanos libres. El camino de la filosofía es el que podía conducirlos a ponerse al frente de la polis. En la *República* de Platón se presenta una forma de vida en común sin propiedad privada —ni relaciones exclusivas con una mujer— que debe ser la propia y normal de las personas mejores de la sociedad, de los filósofos y los guerreros, en una palabra, de los gobernantes.

> Es pues cosa convenida entre nosotros, mi querido Glaucón, que en un estado bien constituido todo debe ser común: mujeres, hijos, educación, ejercicios propios de la paz y de la guerra, y que debe designarse como reyes del mismo a hombres consumados en la filosofía y en la ciencia militar.[1]

Se puede hablar del «comunismo» de la utopía platónica en un sentido bien particular, porque era un comunismo aristocrático, un comunismo de las elites para el perfeccionamiento en conocimientos y virtud de las elites, sin que las preocupaciones por el bienestar material tuvieran una presencia significativa en esta manera de organizar la sociedad. De alguna manera se supone que alguien se preocupa de la organización y realización de la producción, porque hay otras clases de gentes que se encargan de ello. En este estado de cosas, la felicidad del individuo no puede menos que depender de la felicidad de todos los miembros individuales, sin la cual la comunidad no puede mantenerse.

> La ley no debe proponerse como objeto la felicidad de una determinada clase de ciudadanos con exclusión de los demás, sino la felicidad del estado todo; que a ese fin debe unirse a todos los ciudadanos en los mismos intereses, comprometiéndose por medio de la persuasión o de la autoridad a que se comuniquen unos a otros todas las ventajas que están en posición de procurar a la comunidad.[2]

1. Platón, la *República o el Estado*, edición Miguel Candel, Madrid, Espasa-Calpe, p. 336 (543).
2. *Ibidem*, p. 303 (519).

Se introduce así el concepto del «bien común» de una manera un tanto simplista, que se podría leer con mentalidad moderna como una concepción totalitaria del Estado. En efecto, los guardianes de la república, en sus diferentes grados, tienen que sacrificarse por el bien de la colectividad. De manera que sólo hay que elegir como guardianes a aquellos que sean capaces de anteponer las ventajas colectivas sobre el bien personal.

> Al formar un Estado no hemos propuesto como fin la felicidad de un cierto orden de ciudadanos, sino del Estado entero, porque hemos creído un deber encontrar la justicia en un Estado gobernado de esta manera [...] Ahora bien, en este momento nuestra tarea consiste en fundar un gobierno dichoso, a nuestro parecer por lo menos, un Estado en el que la felicidad no sea patrimonio de un pequeño número de particulares, sino común a toda la sociedad.[3]

En sus escritos de madurez, como *Las leyes*, mantiene la idea de que es necesario vivir intensamente una vida en común, hacer las comidas colectivas y quitar importancia a la vida familiar, lo que lleva naturalmente a mantener la práctica del amor libre. En este comunismo platónico aparece una solidaridad funcional limitada o restringida, pero que en el curso de la historia del pensamiento habría de dejar un impacto en los estoicos, los neoplatónicos y los cristianos. En la *República*, sin embargo, no encontramos de ninguna manera la noción de la igualdad de todos los hombres. Las clases sociales existen, pero no por condicionamientos económicos o como resultado de la fuerza, sino como el resultado de distintas dotaciones naturales en excelencia moral e intelectual.

> ... Pero a vosotros en cambio os hemos formado consultando el interés del Estado y el vuestro, para que, como en la república de las abejas, seáis en ésta nuestros jefes y nuestros reyes, y con esta intención os hemos dado una educación más perfecta que os hace más capaces que a todos los demás para unir

3. *Ibidem*, p. 180 (420).

ambos aspectos. Descended, pues, uno tras otro, cuando sea necesario, a la vivienda de los demás, acostumbrad vuestros ojos a las tinieblas que allí reinan; y cuando os hayáis familiarizado con ellas, veréis infinitamente mejor que los de allí; distinguiréis mejor que ellos las imágenes y aquello que reflejan, porque habéis visto en otra parte la bondad de lo bello, de lo justo y de lo bueno. Y así el Estado nuestro y vuestro vivirá a la luz del día, y no en sueños, como la mayor parte de los demás Estados, donde los jefes se baten por sombras vanas y se disputan con encarnizamiento la autoridad que miran como un gran bien.[4]

El conocimiento superior de los gobernantes,[5] y las leyes cuando aquél es deficiente, justifican el sometimiento de las mayorías a la autoridad de la *polis*.

Y bien, amigos míos, ¿me concederéis ahora que nuestro proyecto de Estado y de gobierno no es una vana quimera? La ejecución es difícil, sin duda, pero es posible, y sólo lo es, como se ha dicho, cuando estén a la cabeza de los gobiernos uno o muchos verdaderos filósofos, que, mirando con desprecio los honores que hoy con tanto ardor se solicitan, con el convencimiento de que no tienen ningún valor, no estimando sino lo recto y los honores que de ello dimanan, poniendo la justicia por encima de todo por su importancia y su necesidad, sometidos en todo a sus leyes y esforzándose en hacerlas prevalecer, acometan la organización de su propio Estado.[6]

No hay más garantías para los gobernados que el conocimiento y la virtud de los gobernantes. Los liberales modernos suponen que cada persona sabe lo que es bueno para ella y no necesita que nadie —especialmente el Estado— se lo diga. Platón cree que de alguna manera la gente tiene que ser salvada de ella misma, simplemente porque

---

4.   *Ibidem*, p. 307 (520).
5.   Una justificación del gobierno autoritario de las vanguardias revolucionarias, que siempre saben mejor que el pueblo lo que es bueno para él, y de todo tipo de gobiernos autoritarios y dictatoriales. En la utopía de Platón se supone que los gobernantes saben efectivamente mejor que los gobernados lo que es bueno para ellos, porque, por definición, les aventajan en conocimiento y virtud.
6.   La *República*, p. 335.

sólo ve sombras y no conoce la realidad, sin la cual no puede haber buen gobierno.

Aunque en las *Leyes* Platón equilibra la tendencia al absolutismo del rey-filósofo con la sabiduría de los cuerpos legislativos democráticos en el diseño del Estado ideal, la noción del gobierno aristocrático por parte de los mejores va a fundar sólidamente la tradición política posterior, que, construyendo sobre el pensamiento griego clásico, desarrolla la escolástica medieval cristiana. El filósofo Karl Poper *(The Open Society and Its Enemies)* pintó a Platón como un malvado totalitario precursor de los modernos dictadores. Los autores más modernos creen que se le puede considerar como un totalitario ilustrado o como un utilitarista según los textos que se subrayen. El género literario de algunas partes de la *República*, que suponen una crítica al estado del gobierno ateniense de su tiempo, lleno de incompetencias y corrupción, también debe tenerse en cuenta para comprender su énfasis en el cultivo de conocimientos y en el despego de lo material, que debía caracterizar a los filósofos, como principio de autoridad en la *polis*. Como ha escrito el profesor E. R. Dodds: «Utopías de esta clase son menos un signo de confianza en el futuro que de desafecto hacia el presente.»[7]

Pero es verdad que con toda su excelencia de pensamiento no se ve por ninguna parte una afirmación de la autonomía y dignidad de la persona humana, la igualdad de las personas en sí mismas y ante la sociedad, y el reconocimiento teórico y práctico de la igualdad de derechos ciudadanos. Quizás eso es pedir mucho a una época en que la persona humana se considera sometida a fuerzas incontrolables y la realidad de la mayoría era como si realmente lo estuviera. Los buenos sentimientos hacia los demás, un cierto sentido de justicia y el espíritu de convivencia, que son elementos constitutivos del concepto moderno de solidaridad, están presentes en Platón, pero como subordinados a la consecución de un Estado ideal donde hay muchas

---

7. E. R. Dodds, 1973: *The ancient concept of progress and other essays*, Oxford University Press, p. 13, citado en la introducción de Aristóteles, *La Política*, Madrid, Alianza Editorial.

clases y estamentos rígidos, sin que las libertades individuales constituyan elementos esenciales del orden político y social. La construcción del pensamiento político occidental comienza con un gran déficit de solidaridad.

Aristóteles y la racionalización de la esclavitud

Aristóteles, desde el punto de vista de nuestra búsqueda, es francamente contradictorio. Por una parte, afirma la naturaleza social del hombre, que debería ser la base para llegar a conocer por el uso de la razón la obligación «natural» de la solidaridad universal, pero por otra es el filósofo del machismo y de la esclavitud, lo cual trata de fundamentar con argumentos racionales. La desigualdad de los hombres es casi un postulado de su teoría social. En la *Política* de Aristóteles se revela una concepción del hombre como animal político, un ser destinado a vivir en sociedad y a adquirir la plenitud de su ser en ella. Que el hombre está destinado a vivir en sociedad lo prueba su total ausencia de autonomía, su indefensión y la necesidad de relaciones familiares y sociales para hacerse un ser completo.

> La ciudad (πολισ en griego) es la comunidad, constituida por varias aldeas, perfecta, ya que posee [...] la conclusión de la autosuficiencia total, y que tiene su origen en la urgencia del vivir, pero subsiste para el vivir bien. Así que toda ciudad existe por naturaleza del mismo modo que las comunidades originarias. Por lo tanto, está claro que la ciudad es una de las cosas naturales, y que el hombre es, por naturaleza, un animal cívico (ζοον πολιτικον). Y el enemigo de la sociedad ciudadana es, por naturaleza y no por casualidad, o bien un ser inferior o más que un hombre.[8]

El hombre nace en una ciudad que ya existe y por lo tanto es anterior a él, una consecuencia de la lógica aristotélica que puede derivar a las concepciones absolutistas del Estado.

---

8. Aristóteles, la *Política*, traducción, prólogo y notas de Carlos García Gual y Aurelio Pérez Jiménez, Madrid, Alianza Editorial, cap. II, n. 1253, p. 43.

El Estado *(polis)* es por naturaleza claramente anterior a la casa y al individuo. Ya que el todo es necesariamente anterior a la parte.[9]

Con lo cual no quiere decir que las ciudades y los Estados nazcan espontáneamente, sino que el fin a que tienden las deliberaciones, negociaciones y pactos entre hombres, necesarios para la formación de una entidad política que llamamos Estado, es la culminación del desarrollo social, un proceso que hunde sus raíces en la naturaleza humana («un instinto social está implantado en todo ser humano») y que se acaba con la constitución del Estado. El Estado sería la forma de organización superior, las más completa, por lo menos.

Esta concepción es, a mi manera de ver, una base sólida para la solidaridad, porque es una premisa lógica para llegar a la aceptación de normas de convivencia y solidaridad que exige la misma naturaleza humana. «La justicia es el principio de orden en la sociedad política.» Estas ideas las va a recoger Tomás de Aquino para construir una teoría cristiana de la sociedad, sustituyendo a la naturaleza por Dios y convirtiendo en impulso plantado por el Creador en el alma humana la necesidad de vivir en una sociedad políticamente organizada.

¿Cómo se interpretan —y quién lo hace— esas exigencias éticas de la persona inclinada instintivamente a vivir en sociedad? Es otra cuestión, porque existen mediaciones históricas reales, como la institución de la esclavitud, que condicionan la transición del instinto social a la solidaridad debida. Los hombres son seres sociales, para Aristóteles, pero ¿son iguales? Su respuesta es un no rotundo.

Desde su nacimiento, algunos están dirigidos a ser mandados y otros a mandar.[10]

Esta afirmación proviene de su concepción del hombre como un ser compuesto de una materia y una forma, ésta

9. La *Política*, p. 44.
10. La *Política*, p. 47.

es el alma que manda, y aquélla el cuerpo que obedece, con un ordenamiento funcional necesario del uno al otro, de manera que los dos elementos son esenciales para la integridad del ser humano. De la misma manera, en la familia habría una materia que obedece, compuesta por los hijos y la mujer, y una forma que manda, que sería el padre, jefe de familia, y, en la sociedad, los gobernantes y las profesiones liberales pensantes sería la forma que debe mandar, mientras que los artesanos y esclavos sería la forma obligada a obedecer. Suena un poco intolerable para nuestros oídos, pero no deja de tener una buena intención filosófica. Aristóteles estaría afirmando que la razón, que sólo la forma posee, eleva, ilumina y hace funcionar el caos de la materia. La concepción tiene una cierta coherencia y una cierta altura, pero unas consecuencias nefastas.

> En esto resulta evidente que es conforme a la naturaleza y provecho para el cuerpo someterse al alma, y para la parte afectiva ser gobernada por la inteligencia y la parte dotada de razón, mientras que disponerlas en pie de igualdad, o gobernarse al revés, es perjudicial para todos. Al referirnos de nuevo al hombre y a los animales sucede lo mismo: los animales domesticados son mejores que los salvajes, y para todos ellos es mejor estar sometidos al hombre, ya que así obtienen su seguridad. *También en la relación del macho con la hembra, por naturaleza, el uno es superior, la otra es inferior.* Por consiguiente, el uno domina, la otra es dominada.[11]

Las palabras subrayadas constituyen el principio en que se basa el machismo en todas sus formas. No se encuentra en los escritos de Aristóteles una razón convincente para probar que el varón es por naturaleza superior a la hembra, a no ser que se juzgue como inferioridad su capacidad de engendrar y dar a luz. Sus argumentos se derivan más bien de la práctica social, de la costumbre. En realidad lo presenta como un *a priori* que no necesita mayor demostración. Siguiendo el mismo razonamiento se llega a la cuestión de la esclavitud.

11.   La *Política*, p. 48.

Todos aquellos que se diferencian entre sí de la misma manera que el alma del cuerpo y el hombre del animal, se encuentran en la misma relación. *Aquellos cuyo trabajo consiste en el uso de su cuerpo, y esto es lo mejor de ellos, éstos son, por naturaleza, esclavos para los que es mejor estar sometidos al poder de otros*, como en ejemplos anteriores. Así que es esclavo por naturaleza el que puede depender de otro (por eso precisamente es de otro) y el que participa de la razón en tal grado como para reconocerla pero no para poseerla.

A partir de estas afirmaciones, Aristóteles se encuentra con muchos problemas para sostener su teoría de la esclavitud. En primer lugar da con una evidencia: «Hay esclavos que tienen cuerpo de libres y no de esclavos», lo cual parece indicar que la naturaleza no les haya hecho —y dotado— para ser esclavos. Se encuentra también con el hecho de que muchos son «esclavos por ley, más que por naturaleza», como consecuencia de una derrota militar o de una conquista, es decir, que eran libres en sus *polis* respectivas y han sido hechos esclavos por los hombres. ¿Se puede decir de éstos que la naturaleza les ha hecho esclavos? El filósofo trata de salirse de la aporía al mejor estilo sofista, afirmando que los vencedores que esclavizan a otros tienen algo más que fuerza, también tienen una superior virtud que les justificaría a esclavizar a los derrotados.

La virtud cuando dispone de medios tiene también la mayor fuerza coercitiva y el vencedor destaca siempre en la posesión de algún valor. De modo que parece que no existe la fuerza sin virtud, sino que la discusión es sólo sobre el concepto de lo justo. Por eso unos opinan que lo justo es benevolencia; otros que lo justo es precisamente que mande el más fuerte.[12]

Al final, Aristóteles se sale de la aporía reconociendo que hay excepciones y por lo tanto injusticias (aunque no lo diga expresamente), que, sin embargo, en muchos casos a algunos les conviene ser esclavos, y que la recta comprensión de relación debe llevar a tratar bien a los esclavos.

12. La *Política*, p. 50.

Resulta claro, pues, que existe una razón para la discusión y que hay esclavos, como también libres, *que no lo son por naturaleza* y también que en otros casos tal condición está bien determinada. De éstos, a uno le conviene ser esclavo y a otros ser señor, y es justo (que así sea); y el uno debe obedecer y el otro mandar con la autoridad que la naturaleza ha querido. Lo contrario resulta perjudicial para ambos.

Es realmente el colmo del sofisma: ¡defender la esclavitud porque es buena para el esclavo! Pero no se debe abusar de esta autoridad «natural» por la unidad que debe haber entre materia y forma del cuerpo social.

El esclavo es una parte del amo, como si fuera una parte animada y separada de su cuerpo. Por eso entre el esclavo y el señor, que por naturaleza son dignos de su condición, existe un cierto interés común y una amistad recíproca. En cambio, entre los que no se da tal relación, sino una de convención y fuerza, sucede lo contrario.[13]

En resumidas cuentas, para Aristóteles hay esclavitudes buenas o naturales y esclavitudes malas o forzadas. Su defensa de la institución esclavista resulta cínica y poco convincente. La desigualdad de los hombres es casi un postulado de su teoría social. A pesar de ello, la influencia de estos argumentos en el pensamiento cristiano medieval, que también tenía el problema teórico de justificar la esclavitud, es muy grande. En ellos se basa el derecho de conquista que sirvió, por ejemplo, para justificar la conquista y sometimiento de los pueblos de América y la esclavitud de otros pueblos infieles. Es una de las raíces del machismo de la Iglesia —otra es la tradición judía— y de la aceptación de las diferencias sociales en función de una supuesta asignación natural de roles en la sociedad.

Como entiende la democracia Aristóteles es una consecuencia de lo anterior. El poder político es un «gobierno de hombres libres», y el control de este poder sólo puede confiarse a éstos. La democracia aristotélica, aunque sea repu-

---

13.   La *Política*, p. 51.

blicana y opuesta a la oligarquía, no deja de ser elitista, limitada y poco operativa. Bien reconoce que «la confusión política se debe a la desigualdad», pero sólo se refiere a la desigualdad entre hombres libres sobre la base de fortuna, poder, relaciones y no en términos de naturaleza. Veamos su definición de *ciudadano*:

> Aquel a quien le está permitido compartir el poder deliberativo y judicial, éste decimos que es ciudadano de esta ciudad, y ciudad, en una palabra, el conjunto de tales personas capacitado para una vida autosuficiente.[14]

Una definición que excluye, además de a los ancianos, a las mujeres y niños del lugar, a todos los ciudadanos sin franquicia, emigrados, o juzgados incapaces de estas funciones. Hemos caminado mucho desde entonces.

La moral estoica y la aproximación al cristianismo

El peso de la Antigüedad clásica pasó de Grecia a Roma después del siglo III antes de Cristo, cuando se habían extinguido los ecos de las hazañas de último gran guerrero y conquistador heleno, Alejandro Magno (muerto en 323 a.C.), y los estados helénicos, que conocieron un gran auge económico y cultural, fueron conquistados por los romanos. En adelante el poder militar del Imperio romano crearía un nuevo universo cultural, ecléctico y mimético, centrado en Roma y alimentado desde las colonias griegas en la península, en Sicilia y en la periferia. Los filósofos Platón y Aristóteles tuvieron sus seguidores e imitadores, pero nadie tuvo la suficiente fuerza creativa como para extender y profundizar su pensamiento y se contentaron con comentarlo y explicarlo. Lo auténticamente romano fue el movimiento filosófico de los estoicos, fundado por Zenón de Citio (Chipre), que vivió de 336 a 264 antes de Cristo y trasplantado a Roma, donde tuvo el apoyo de ilustres políticos y escritores. El estoicismo fue una filosofía popular que

---

14. La *Política*, p. 109.

trataba de dar pautas para las grandes ocasiones de la vida, como fue el movimiento cultural de los epicúreos que enseñaba cómo disfrutarla lo mejor posible. Para los fines de nuestra historia sobre el pensamiento solidario, los estoicos tienen gran importancia porque condensan y divulgan algunos conceptos que habrían de parecer más tarde bautizados con el agua del bautismo cristiano.

Los estoicos veían el mundo como una única gran comunidad en la cual todos los hombres son hermanos, gobernado por una providencia suprema, cualquiera que fuera su nombre

> Lo primero que nos promete la filosofía —diría Séneca— es un sentimiento de compañerismo, de pertenencia a la humanidad y de ser miembros de una comunidad.[15]
>
> (*Littera* V.)

Para ellos, el mundo está sometido a una ley natural anterior y superior a la ley escrita, una idea difundida en la Antigüedad que encontramos, por ejemplo, en la *Antígona* de Sófocles que se encuentra perfectamente desarrollada por Cicerón en *De legibus*. Otro es el concepto de amistad como afirmación y aceptación del otro; la idea de que todos los seres humanos, tanto libres como esclavos, tienen una chispa de la divinidad que les da un valor infinito, y les hace a todos iguales, además de inmortales; la actitud de comprensión, tolerancia y entrega hacia los demás, cualquiera que fuera su posición en la sociedad y cualquiera que fuera su actitud hacia nosotros. Para los estoicos, sólo viviendo conforme a la naturaleza, con desprendimiento de las cosas materiales, se puede conseguir la verdadera libertad y ser feliz. En el mundo en su totalidad no importan nada las diferencias entre los hombres, que son meras determinaciones de lo externo. Pero sólo existe un único universo divino, una unida naturaleza racional y una única conducta apropiada para todos los hombres. El estoico es un ciudadano del «cosmos», un cosmopolita, y no de la

---

15.   Séneca, *Letters from a Stoic*, Penguin Classics, p. 37.

polis. Es un avance muy significativo sobre los conceptos de ciudadano y derechos civiles de Platón y Aristóteles. Los enemigos de los cristianos subrayaban con gran énfasis que los estoicos ya enseñaban hacía tiempo lo mismo que éstos predicaban como mensaje único y original de Jesús de Nazaret. No cabe duda, sin embargo, de que la consolidación y divulgación del mensaje cristiano no es ajena al pensamiento y formas de expresión de su tiempo.

Los límites de la amistad. Cicerón

El concepto de la amistad, desarrollado en la Antigüedad por los filósofos y elaborado y divulgado por oradores y retóricos, puede servirnos de bloque de construcción para el concepto moderno de solidaridad. La amistad es un concepto más limitativo que el de solidaridad, porque, por su propia naturaleza, implica limitación en su ámbito de aplicación, a no ser que se hable de la «amistad universal», que no significa gran cosa. Amistad no se suele usar entre nosotros como amistad universal, sino más bien como amistad particular, como un conjunto de sentimientos, actitudes y comportamientos para con un número limitado de personas. Así lo concebían en la Antigüedad.

Cicerón, político, orador y filósofo, próximo a la escuela estoica, trata de la amistad en un pequeño tratado, *De amicitia*. Al concepto de la amistad como un sentimiento y comportamiento basado en el reconocimiento de uno mismo en el otro, como *alter ego* (otro yo), que viene a ser una forma del amor propio en la medida en que queremos ver en el otro lo que nos gusta de nosotros mismos, opone el del amor al otro por lo que éste tiene de específico y personal, una amistad basada en la aceptación de la *alteritas in se* (la diferencia en sí misma). Un concepto mucho más próximo al modelo cristiano, por lo que supone de superación del amor a sí mismo, del egoísmo, y de sobrepasar los estrechos límites del yo. Los límites a estos sentimientos los pone la exigencia de reciprocidad, de manera que no se concibe una amistad unilateral, abierta, la de alguien que no espera reciprocidad de sentimientos y comportamientos. Pero reconoce que es una forma superior —o distinta— de amistad aquella que se da sin esperar respuesta, aunque ésta está reservada para pocas personas. Probablemente sólo para los estoicos.

Epicteto, el esclavo filósofo

Epicteto (siglo I a.C.) conoció como esclavo, llevado de Frigia (su patria) a Roma, la increíble dureza de ese Estado y la crueldad de los amos, aunque fue finalmente liberado. Su pensamiento nos ha llegado a través del *Enchiridion*, una recolección de sus máximas hecha por Ariano, uno de sus discípulos, y de los *Discursos*.[16] A pesar de haber experimentado en sus carnes la maldad humana, tiene una concepción optimista de la naturaleza del hombre: todos los humanos poseen una chispa de la divinidad depositada en ellos por el creador, que les hace valiosos en sí mismos, cualquiera que sea su estado en la sociedad o su situación personal y corporal. Enseña el control de los miedos y las aprensiones de peligro, y la resignación ante lo que no podemos evitar:

> Evita, pues, la aversión de todas las cosas que no están en nuestro control y transfiérela a las cosas contrarias a la naturaleza de lo que está en nuestro control. Pero, por de pronto, suprime enteramente los deseos, porque, si deseas alguna de las cosas que no están en tu propio control, tienes necesariamente que sentirte decepcionado; y de las que lo están, y que sería laudable que desearas, nada está todavía en tu posesión.

> (*Enchiridion*, n. 3.)

El texto muestra un ejemplo del fatalismo o la ataraxia que rezuma en todos los autores estoicos.

> Los hombres se perturban no por las cosas, sino por las teorías y las nociones que se forman con respecto a las cosas. La

---

16. Las citas de estas fuentes están tomadas de Internet, donde he encontrado enteros el *Enchiridion* y citas de los *Discursos* de Epicteto, así como las *Meditaciones* de Marco Aurelio. Están en inglés y las he traducido al castellano.

muerte, por ejemplo, no es terrible, porque, si no, le hubiera parecido así a Sócrates. Pero el terror consiste en nuestra noción de que la muerte es terrible. Por lo tanto, cuando somos atacados, o molestados, u ofendidos, no lo atribuyamos nunca a los demás, sino a nosotros; es decir, a nuestras propias teorías. Una persona ignorante achaca la inconveniencia de su condición a otros. Uno que esté comenzando la instrucción pondrá la falta en sí mismo. Pero uno que esté perfectamente instruido no pondrá la culpa ni en sí mismo ni en los demás.

(*Enchiridion*, n. 5.)

Aconseja, en consecuencia, el dominar la imaginación y pensar en que nadie nos puede quitar esa chispa de la divinidad que reside en nosotros. De ahí concluye oblicuamente que, puesto que nadie puede hacer nada importante y esencial a nadie,

porque otro no te puede perjudicar a no ser que lo permitas. Sólo entonces te harán daño cuando pienses que te hacen daño.

(*Enchiridion*, n. 30.)

Por eso no debemos intentar hacer mal a nadie, porque no obtenemos ninguna ventaja verdadera de ello, además de que con ello iríamos contra la divinidad.

¡Oh, hombre esclavizado! ¿No soportarás a tu propio hermano, que tiene a Dios como padre, como proveniente del mismo vástago y de la misma elevada descendencia? Pero si tienes la suerte de que te pongan en una posición superior, ¿te convertirás en un tirano?

(*Discursos*, cap. XIII.)

Epicteto es el filósofo de la igualdad entre los hombres, además de la resignación y el dominio de los sentimientos negativos y pesimistas. Su actualidad parece no decaer, porque se hace gran uso de sus páginas en la reciente novela de Tom Wolf, *Todo un hombre*, con lo que los escritos de Epicteto se han difundido extraordinariamente en Estados Unidos.

Séneca, el giro hacia la caridad y el altruismo

El filósofo y dramaturgo cordobés Lucio Anneo Séneca, instructor del emperador Nerón —sobre el que parece tuvo poca influencia—, es otro de los grandes nombres del estoicismo. Nacido el año 4 de la Era cristiana, Séneca fue contemporáneo de Jesús de Nazaret, y tuvo contactos con los cristianos a quienes su patrón, Nerón, persiguió con extrema crueldad. Aunque con un ambiguo comportamiento personal en cuestiones de dinero, poder y mujeres, fue un maestro prestigioso de la filosofía estoica, a la que protegió y contribuyó a extender por el Imperio romano. En sus *Cartas de un Estoico*, resume sus ideas en esta materia. De él se ha dicho que preparó un puente para que Roma pasara fácilmente al cristianismo. Así, por ejemplo, de la «regla de oro» de las relaciones humanas que se halla en el Evangelio en Mateo 7, 12 y Lucas 6, 13, Séneca da versiones similares:

> Demos a los demás como nos gustaría recibir.
>
> (*De beneficiis*, 2.1.1.)

> Trata a un inferior de la manera como te gustaría que un superior te tratara a ti.
>
> (*Epistula*, 47.11.)[17]

Aunque no se encuentra en sus páginas una condena formal de la esclavitud, la moderación que aconseja en el trato de los esclavos llega al límite entre la esclavitud y la libertad.

> Son esclavos, dice la gente. No. Son seres humanos. «Son esclavos»; pero participan del mismo techo que vosotros. «Son esclavos.» No, son amigos, humildes amigos. «Son esclavos.» Estrictamente hablando son nuestros compañeros esclavos, si te paras a pensar que la fortuna tiene el mismo dominio sobre ellos que sobre nosotros [...] Por el momento voy a prescindir

---

17. Séneca, *op. cit.*, p. 93.

de otras instancias del trato salvaje e inhumano, la manera como nosotros abusamos de ellos como si fueran bestias de carga en lugar de seres humanos...[18]

A propósito de las influencias estoicas sobre el pensamiento cristiano, veamos las siguientes palabras de Séneca:

> Las palabras tienen que ser sembradas como las semillas. No importa cuán pequeña sea la semilla, cuando cae en la clase apropiada de tierra desarrolla su fuerza y de ser diminuta se expande y crece a un tamaño masivo.
>
> (Séneca, *Littera*, XXXVIII.)[19]

¿No recuerda esto a lo que dice Jesús de Nazareth sobre el grano de mostaza y la parábola del sembrador?

Marco Aurelio, el amor al prójimo

Este emperador, piadoso pero cruel, que escribía sobre la necesidad de amar al prójimo a la vez que perseguía salvajemente a los cristianos como enemigos del imperio, es otra de la figuras señeras de esta corriente filosófica. En él encontramos una línea de pensamiento que podríamos considerar como un argumento filosófico a favor de la solidaridad humana como nosotros lo entendemos.

> Si nuestra parte intelectual es común, la razón también, con respecto a la cual somos seres racionales, es común; y si esto es así, común es también la razón que nos manda lo que debemos y no debemos hacer; y si esto es así, existe también una ley común, en cuyo caso todos somos conciudadanos; y si esto es así, somos miembros de una comunidad política; y si esto es así, el mundo es en alguna manera un estado. Porque ¿de qué otra comunidad política común se podrá decir que todos los componentes de la raza humana son miembros?
>
> (Marco Aurelio, *Meditaciones*, L. IV.)

18.   Carta 47, p. 91.
19.   Carta 38, p. 82.

Ésta es una muestra del «cosmopolitismo» de los estoicos romanos, basado, como se ve en el texto, en la igualdad de los seres humanos. Igualdad y proximidad que justifican el interés por las cosas de los demás.

> Porque las cosas de los dioses merecen veneración por su excelencia y las cosas de los hombres tienen que sernos queridas por razón de la proximidad.
>
> (*Meditaciones*, L. II.)

De estas premisas generales saca el emperador Marco Aurelio máximas de comportamiento hacia los demás que nada tiene que envidiar a los preceptos evangélicos.

> La mejor manera de vengarte es evitando ser como el malhechor.
> Sólo hay un fruto de la vida terrena: una pía disposición y actos sociales.
> Una cosa aquí es de mucho valor, pasar la vida en verdad y justicia, con una actitud benevolente incluso hacia los mentirosos e injustos.
> Cuando deseas deleitarte, piensa en las virtudes de quienes viven contigo; por ejemplo, la actividad de uno, la modestia del otro y la liberalidad de un tercero, y la cualidad que sea del cuarto. Porque nada satisface más que los ejemplos de las virtudes, cuando se muestran en las costumbres de quienes viven con nosotros...
>
> (*Meditaciones*, L. VIII.)

El cambio de perspectiva sobre el hombre y sobre el ciudadano que se da entre Aristóteles y Epicteto, por ejemplo, y que acerca el pensamiento clásico al cristiano responde al cambio de marco político organizativo en que se desenvuelve la vida de los ciudadanos en torno al cambio de eras históricas. De ser ciudadanos, con gran participación en la vida de la *polis*, una unidad organizativa relativamente pequeña, se pasa a serlo de un imperio, que abarca muchos países y pueblos diferentes, con lenguas y culturas diferentes. En este marco mucho más amplio la persona se encuentra aislada, lejos muchas veces de las instancias de poder, en las que no participa mayormente. Es lógica la reacción de los filósofos de enfocar su atención en lo que el hombre tiene de esencial, de común con otros hombres, prescindiendo de una particular determinación geográfica y política. Esa esencia humana la ponen en una participación en la naturaleza divina interna, imperecedera, igual para todos. Este nuevo humanismo es la base de los avances en el pensamiento solidario.

Y así, de una manera insensible, el pensamiento de la Antigüedad clásica, a través de los sucesores de Platón, como Plotino, los estoicos y más tarde los neoaristotélicos, se va fundiendo suave y paulatinamente con el pensamiento cristiano primitivo, de tradición judía, para llegar a su forma dominante en la formulación de dogmas que son explicaciones filosóficas de los misterios de la fe. Toda la teología del «verbo», por ejemplo, está tomada de conceptos neoplatónicos y estoicos. El pensamiento cristiano sobre el amor al prójimo y la solidaridad está ya esbozado en los filósofos paganos contemporáneos con su nacimiento.

Capítulo 3

LAS RAÍCES RELIGIOSAS
DE LA SOLIDARIDAD

La mayor parte de las personas que son solidarias, o quienes por lo menos intentan tener una solidaridad que llegue hasta los comportamientos coherentes con los sentimientos y actitudes de solidaridad —que sin duda son las más fáciles de tener—, lo son por motivos religiosos o de conciencia. Somos solidarios, dicen estas personas, porque nos han enseñado y nos hemos creído e interiorizado que todos los hombres somos hijos de Dios, creados con el mismo amor, todos iguales en nuestra esencia más íntima, con los mismos derechos y deberes; en fin, unidos con un vínculo de hermandad. Nos hemos creído que todos llevamos básicamente y de la misma manera la imagen de nuestro creador, de forma que, así como en mí mismo reconozco la majestad y grandeza de quien me ha creado, asimismo la reconozco en los demás, y en ellos la debo venerar y respetar.

Este tipo de argumento, o mejor, de explicación de una creencia profunda y primitiva, es común en la mayor parte de las religiones que han sobrevivido hasta los tiempos modernos. Todas las religiones creacionistas, que incluyen en su génesis algún episodio de castigo masivo (del estilo del diluvio del libro del Génesis) y de redención por medio de algún enviado de la divinidad, afirman también la hermandad de los hombres y el mandato divino de portarse bien los unos con los otros, aunque las razones para fundamentar este comportamiento y para poner sus límites son variadas según las religiones y, sobre todo, las culturas en que se originan.

Aquí no voy a entrar en detalles sobre el fundamento de la solidaridad en todas las grandes religiones del mundo, en gran medida porque no conozco suficientemente las religiones orientales y el islam. A mis lectores les incumbe más la religión judeocristiana, en cuya tradición se han educado y son alimentados espiritualmente. Pero de ninguna manera quisiera dejar la impresión etnocentrista de que la solidaridad es una virtud exclusivamente occidental o cristiana, lo cual no reflejaría mi pensamiento.

La tradición judeocristiana

La historia que se nos cuenta en la Historia Sagrada no es muy edificante desde el punto de vista de la solidaridad como la entendemos hoy. El Antiguo Testamento a partir del libro del Éxodo se convierte en la historia de un pueblo escogido por Dios para conservar la idea del monoteísmo en un mundo corrompido por el politeísmo (muchos dioses), o mejor, la fe en la existencia de un solo Dios verdadero. En realidad, es como una historia de amor entre dos personas, el idilio de Dios con su pueblo escogido, tratando por todos los medios de conservarlo fiel a él mismo, ayudándole a vencer a los enemigos que le amenazan y ponen en peligro esta relación, pero castigándolo con terribles penas, como sucesivos destierros e invasiones de otros pueblos, cuando el pueblo no le es fiel. Por lo menos ésta es la interpretación de la historia del pueblo de Israel que narran los historiadores-filósofos autores de la Biblia.

Esta mentalidad de pueblo escogido (como la de creerse «vanguardia» del pueblo), la cual desgraciadamente se ha reproducido muchas veces en la historia, siempre con desastrosos resultados para los no elegidos,[1] crea unas condiciones negativas para el desarrollo de la solidaridad que defendemos en este libro. Porque si un pueblo es elegido entre otros, aunque sea para las causas más religiosas y sublimes, esta elección crea una línea divisoria entre nosotros y los otros, entre los creyentes en el dios verdadero y

---

1. Como no fueron para Hitler los de religión judía.

los gentiles, los que creen en otros dioses. Así se establece, diríamos en lenguaje moderno, una discriminación por motivos de religión, que es repugnante al hombre moderno que sea sincero.

La tradición judía moderna

El judaísmo moderno, es decir, el de la «diáspora» o emigración, que ha sido la condición normal del pueblo de Israel en los casi dos mil años desde la destrucción del Templo de Jerusalén por el emperador romano Vespasiano (año 79 de la Era cristiana) hasta el establecimiento del Estado de Israel en 1948, también ha evolucionado —en la medida en que la discriminación y la persecución se lo han permitido—, saliendo de su mentalidad primitiva de pueblo escogido para considerarse un pueblo que tiene que convivir pacífica y constructivamente con todos los demás. Esto es evidente en el siglo XIX, cuando la proclamación de gobiernos laicos en Europa y América relega al judaísmo al lugar de una religión más entre las demás que pueden cultivarse en el dominio de lo privado. El judaísmo reformista, que constituye la corriente judaica más importante de los tiempos modernos, pide a los judíos que se acomoden a las prácticas sociales, aunque no en todo, de los países en que vivan.[2] La violencia que ha rodeado la formación y consolidación del Estado de Israel no es nada típicamente judío, sino lo propio de un grupo humano poderoso y determinado a llevar a cabo un proyecto político con muchos riesgos. Es posible que los hebreos creyentes todavía conserven la responsabilidad histórica de dar a conocer y mantener la idea del verdadero dios en un mundo donde el peligro para esa idea no es la creencia en muchos dioses, sino la creencia en ninguno. En su patrimonio religioso conservado hasta nuestros días se encuentra la joya de la solidaridad:

---

2. Jacob Neusner, *Judaism*, en Arvind Sharma (1993), *Our Religions*, Nueva York, Harper and Collins, p. 332.

Un estudio, aunque sea somero, de las fuentes judías mostrará que desde el principio el judaísmo entendió que era un deber de la comunidad el proveer a las necesidades sociales de los individuos en esa sociedad. Esta obligación emanaba de dos conceptos básicos de la filosofía económica del judaísmo: la premisa de que una parte de la riqueza de los individuos les ha sido dada por la Divinidad con objeto de proveer directamente a las necesidades de los miembros menos afortunados de la comunidad, y la deseable creación de grupos religiosos nacionales.[3]

Fundamentalmente, el cuidado del bienestar de todos está visto en el judaísmo como un acto de *Imitatio Dei* (imitación de los caminos de Dios). En una discusión talmúdica[4] un rabino preguntaba cómo se podía comparar uno con Dios y ser tan presuntuoso que creyera poder caminar en las pisadas de Dios, dado que Él es eterno, es un fuego que lo consume todo, que no tiene figura ni forma, etc. La respuesta que el rabino daba a los perplejos oyentes era que:

Así como Dios es todo misericordioso, así el hombre tendría que ser misericordioso; así como Dios es bondadoso y justo, así el hombre tendría que ser bondadoso y justo, y así como Dios tiene buen cuidado de velar por todas las criaturas, asimismo debería hacer el hombre.[5]

Esta visión de los actos de solidaridad como una imitación de la grandeza de Dios se extendía a todo el espectro o gama de la previsión social *(welfare)* y no únicamente a dar limosnas a los pobres. Así encontramos a Shimon Hatsadik, escribiendo en el siglo IV a.C.:

Hay tres cosas sobre las que se sustenta el mundo: la Torah (Ley), el Servicio Divino y los actos de benevolencia *(chesed)*. Las tres son igualmente importantes en el judaísmo e igual-

---

3. Meir Tamari (1987), «With All Your Possessions», *Jewish Ethics and Economic Life*, Nueva York, The Free Press, p. 242.
4. El Talmud es un texto autorizado por la tradición hebrea de comentario a la Torá o Ley.
5. *Loc. cit.*, p. 243.

mente esenciales para la construcción de una nación religiosa y Divina.[6]

Los actos de *chesed* eran considerados, por lo tanto, característicos del pueblo judío, sea como individuos sea como nación. Las obligaciones mutuas que se desprenden de este concepto se basan en todo un marco ético que se ha ido desarrollando en la literatura religiosa judía a lo largo del tiempo. Otro ejemplo:

> El que diga: lo mío es mío y lo tuyo es tuyo, sólo tiene una estatura moral corriente, otros sabios mantienen que ésta es la característica de la gente de Sodoma. Quien dice: Lo mío es tuyo y lo tuyo mío, es un tonto. Lo mío es tuyo y lo tuyo es tuyo, es lo que dice un hombre piadoso. Lo tuyo es mío y lo mío es mío. Ésta es la marca del malvado.[7]

Otro concepto importante en la ética hebrea es el de *tzedakah*, que se suele traducir por «caridad» (o palabras equivalentes en los idiomas indoeuropeos), aunque es un concepto más rico porque implica que el acto de asistencia es básicamente una rectificación de un desequilibrio social. *Tzedakah* tiene la misma raíz que *tzedek*, justicia, la caridad se concebiría como el cumplimiento de las obligaciones que derivan de la riqueza. El concepto de solidaridad que tenemos en este libro combina *chesed* con *tzedakah*: benevolencia con justicia, para ponerlo simplemente.

Alguien preguntará cuál es la extensión de esta solidaridad que encontramos en los textos religiosos de los hebreos, y cómo se interpreta en la actualidad. Un problema que no es diferente del que vamos a ver al comparar las excelsas enseñanzas cristianas sobre el amor, con las prácticas de pueblos, reyes e iglesias cristianas a través de los siglos. En ese mismo contexto, sin embargo, es lícito preguntarse ¿qué limitaciones tiene el *chesed* y el *tzedakah*? Si, por ejemplo, se circunscribe a los de la misma religión —con lo que volveríamos a lo de pueblo elegido— o se extiende a los gentiles, a los de todas las religiones y razas.

6. *Loc. cit.*, p. 243.
7. *Loc. cit.*, pp. 245-246.

La mentalidad judía moderna, afectada en lo más profundo de su ser por el terrible holocausto que sufrieron los judíos bajo Hitler, ha ordenado de una manera drástica sus prioridades, poniendo la de la defensa y preservación de los judíos, donde quiera que se encuentren, antes que todo, y como parte de ello —aunque no es lo mismo— la defensa de la integridad y sostenibilidad del Estado de Israel, antes que cualquier otra consideración de solidaridad internacional. Este orden de prioridades ha llevado de hecho a las autoridades hebreas a realizar actos insolidarios, por no decir criminales. Conocidos son los excesos en la lucha contra las guerrillas palestinas (por ejemplo, la complicidad de los israelitas en las matanzas de los campos de Sabra y Chatilla) y cosas menos conocidas, como colaborar con la represión política en Guatemala y Nicaragua (en tiempos de Somoza), y algunos países africanos, que en nada amenazaban al Estado de Israel, por oscuros motivos relacionados con la defensa de su pueblo. Naturalmente que no hay ninguna razón especial para exigir solidaridad internacional al Estado de Israel más que a otros países como Estados Unidos, Francia, España, Argelia, Irán o Irak, pero parece que el comportamiento del Israel es una piedra de toque para probar la vigencia moral y la credibilidad de la religión judía, como una de las grandes corrientes éticas más relevantes de la actualidad.

El Estado de Israel, sin embargo, plantea una cuestión muy especial en el supuesto de que exista una amenaza real a la existencia misma del pequeño Estado, como una isla en un océano islámico. En qué medida esta amenaza es real y efectiva depende mucho de la capacidad defensiva de los israelitas y de los movimientos dentro del mundo islámico. Israel, por lo menos, está seguro de que esta amenaza existe y se considera perpetuamente en estado de sitio y con el derecho de actuar en virtud de la legítima defensa de sus ciudadanos.

Fuera del Medio Oriente, sin embargo, está claro que nadie ve una amenaza en la raza y religión hebreas en nuestros días, a pesar de los fenómenos esporádicos de antisemitismo en lugares dispersos del mundo, que no son diferentes de otros actos terroristas contra personas de las más diversas pertenencias y cualidades. Por otra parte, no me cabe duda de que la organización interna del Estado de Israel es una de las más solidarias del mundo, si no la que más, con un sistema de bienestar y una provisión de servicios sociales que pocos países igualan. La cuestión es únicamente si esa solidaridad interna es exportable. Porque sería una pena que no lo fuera.

El origen cristiano de la solidaridad

Pero viniendo a nuestra tradición cristiana, la ruptura con el Antiguo Testamento y con el tipo de actitudes y comportamientos religiosos a que había dado lugar, sobre todo entre los ricos, los sacerdotes y letrados, fue obra de Jesús de Nazaret. Para ponerlo en dos palabras, Jesús predicó el Reino de Dios, una realidad ética religiosa nueva, que nace de dentro de las conciencias y se fortalece con la oración, pero que tiene que manifestarse en los actos externos y los comportamientos sociales, y eventualmente plasmarse en nuevas instituciones, nuevas leyes y nuevas normas, escritas o no, de conducta. Es un estado de cosas, un Reino, donde impera el amor de Dios Padre a sus hijos, materializado en Jesús como encarnación del amor del Padre al mundo, y el amor mutuo que infunde en los corazones el Espíritu Santo en la vida de los creyentes.

Las creencias, las normas, las conductas que Jesús predicaba y practicaba chocaron contra las que constituían el «reino de este mundo», un mundo de egoísmo e hipocresía pero poderoso, que vio en la predicación de Jesús una amenaza a sus intereses personales y de grupo en su estrecho contexto social, y se las arregló para matarle por medio de las autoridades romanas de ocupación.

En nuestra tradición cristiana, la ruptura definitiva con la mentalidad de «pueblo escogido», que confirmó la universalidad del amor, de la hermandad y la solidaridad como piedra angular del cristianismo —el sistema de creencias y el modo de vida característicos de los discípulos de Jesús de Nazaret—, vino con el apóstol san Pablo. San Pablo, judío culto y viajado, en oposición a los apóstoles de Jerusalén (entre ellos, san Pedro), más incultos y fundamentalistas, hizo que el cristianismo no se quedara reducido a una secta más, como la de los esenos, por ejemplo, del judaísmo decadente de la época, sino que se convirtiera en una religión universal. Lo hizo borrando la línea divisoria entre judíos y gentiles, entre creyentes y paganos, entre nosotros y ellos. San Pablo proclamó que Jesús había muerto por todos los hombres de cualquier pueblo, raza y nación que fueran. Y por lo tanto el Evangelio se podía y se debía anunciar a todos los pueblos. «Id y predicar a todas las naciones, los que crean se convertirán y se salvarán; los que no crean se condenarán.» No hace falta elección previa, basta oír la predicación y creer en ella. La salvación está así al alcance de todos. Parece probable que los evangelistas, cuando se pusieron a recoger por escrito sus enseñanzas y las de la Iglesia primitiva,[8] pusieron el dicho en boca de Jesús para dar autoridad a su versión del asunto.

Vencido el obstáculo de la predestinación geografico-rracial, el cristianismo se convirtió en la predicación del amor universal entre todos los hombres, el amor expresamente a los de otra religión, herejes (samaritanos) y paganos (romanos), amor que se extiende incluso a «los que nos hacen mal y nos calumnian y persiguen», ofreciendo «la otra mejilla a quien te golpea en una». El amor entre unos y otros, amor en la práctica, se entiende, llega hasta la organización social de las comunidades cristianas aboliendo la propiedad privada, como aparece claramente en los Hechos de los Apóstoles, y hasta a dar la vida por los demás («Mayor amor nadie tiene que quien da su vida por el que ama», Evangelio de san Juan). El amor de los cristianos, en una palabra, se vive no sólo simbólicamente con los ritos de comunión y los abrazos del culto, sino socialmente con la mayor generosidad, hermandad y alegría observables. Lo que hizo que los paganos dijeran de ellos con asombro: «Mirad cómo se aman.»

A esa tradición, a esa práctica, a esa organización social invocamos los cristianos como fuente de nuestra solidari-

---

8.   Que es la manera más probable de cómo nacieron los Evangelios.

dad ahora, a finales del siglo XX, casi dos mil años después. A pesar de que a partir del Edicto de Constantino (año 313 de nuestra era), que pone fin a las persecuciones con la conversión al cristianismo del emperador, y la transformación de la religión cristiana en una religión oficial del imperio y un instrumento más de política real para ganarse a los pueblos bárbaros. Así comienza un proceso de desvirtuamiento de la esencia cristiana de la Iglesia, que relega el Reino de Dios a la esfera interior; que sustituye un proyecto de vida, muerte y resurrección colectivas por una presunta salvación individual en la otra vida, que además se puede conseguir por métodos mágicos para compensar y anular las trayectorias de crimen y pecado de toda una vida; que usurpa el nombre de Reino de Dios para dárselo a gobiernos mundanos, despiadados, llenos de orgullo, avaricia, odio y envidia, que se colocan al frente de una organización social belicosa, intransigente, despiadada y severa con sus súbditos; súbditos, no olvidemos, de gobernantes que se dicen «cristianos». Durante los siglos posteriores, los paganos, al ver a los cristianos enzarzados en continuas guerras y continuos horrores, dirían admirados: «Mirad cómo se odian.»

En el pensamiento cristiano de las edades que siguieron a la caída del Imperio romano se da un cierto pesimismo sobre las posibilidades sociales del amor, que es en realidad ignorancia sobre las posibilidades que tenían, y siempre han tenido, los hombres de cambiar la sociedad, las instituciones, las normas de conducta, las costumbres más inveteradas. Es el pesimismo que refleja en el fondo san Agustín en «Las dos ciudades», una interior y espiritual donde reinan los principios evangélicos y otra mundana exterior, donde reinan los principios del poder y de la avaricia, ambas realidades separadas y con dificultades para entenderse y dejarse influir, sobre todo por la organización superior la Ciudad de Dios. ¿No hay en esta concepción un principio maniqueo larvado? Por lo menos, en el fondo es una concepción pesimista. Pero es comprensible, los tiempos primitivos eran tiempos de poco cambio, más bien de estancamiento y progreso lento en las tecnologías de producción, los viajes, los intercambios comerciales, el desarrollo del idioma, etc. Los hombres tenían poca y limitada experiencia del cambio como tal. Durante la vida de una generación las cosas cambiaban poco, eran como siempre habían sido y nadie podía cambiar lo que la naturaleza daba con esa apariencia de inmutabilidad.

Sin embargo, los cristianos hicieron cosas nuevas, cambiaron las costumbres y la manera de pensar de millones de personas, aunque quizás su doctrina no penetrara hasta el interior de los corazones de los pueblos bárbaros —y de los paganos educados— convertidos a la fe. Pero ellos debieron de pensar que lo hacían a un nivel en apariencia pequeño, como si no hubieran creído en la fuerza que su doctrina contenía para cambiar radicalmente el mundo, para eliminar, por ejemplo, la esclavitud, que los Estados cristianos sólo hicieron en el siglo XIX; para desmontar a los reyes y soberanos de los pedestales divinos a que se habían encaramado. En el primer capítulo hemos visto los enormes compromisos que la religión del amor tuvo que hacer con los poderes de este mundo para mantener su presencia, a veces bien opaca, en la sociedad, y cómo poco a poco la idea de la igualdad y fraternidad humanas, que en Occidente es de indisputado origen cristiano, se abrió paso en las mentes y los corazones hasta llegar a instalarse en las instituciones de la sociedad moderna.

Capítulo 4

EL PENSAMIENTO CRISTIANO MEDIEVAL

En el pensamiento cristiano medieval se pueden discernir claramente *dos tendencias* o tradiciones sobre la moralidad de las relaciones personales y la organización de la sociedad de la época, que parten desde la antigüedad clásica y recogen del Evangelio los elementos teológicos que las impregnan. Una sería la *utópica* con énfasis en la igualdad histórica de los hombres, la condena de los elementos discriminatorios de la sociedad, sobre todo de las posesiones materiales. Otra sería la *realista*, que, dando por justificado el hecho de que existan diferencias en la sociedad como resultado del pecado original, que en todo caso hace de este mundo un «valle de lágrimas», trata de proponer un sistema de relaciones justo y adecuado para el fin último de la sociedad, que es la salvación de los individuos que viven en ella.

La tradición utópica

La primera, quizás sin saberlo afín a la *República* de Platón, toma elementos del Evangelio, sobre todo del de san Mateo (Sermón del Monte), de los Hechos de los Apóstoles y de algunos padres de la Iglesia (sobre todo san Ambrosio y san Juan Crisóstomo),[1] para defender el comunismo primitivo que era habitual en las primeras comunidades cristianas. Esta tradición florecería abiertamente al cabo de los años en los escritos de los humanistas cristianos Erasmo de Rotterdam (1469-1536) y Juan Luis Vives,

---

1. Alguna de cuyas homilías fustigan a los ricos y a las riquezas de una manera vehemente.

cuya *De subventione pauperum* (Brujas, 1526) es probablemente el primer tratado sobre la solidaridad humana, y en
los de los «utopistas cristianos», santo Tomás Moro (1478-
1535), autor de la *Utopía* y Tommasso Campanella (1568-
1639) en la *Civitas Solis (La ciudad del Sol)*.

El librito de santo Tomás Moro, publicado en 1517, al
principio de la Edad Moderna, es interesante por lo explíci-
to de su crítica del sistema medieval.

> Esto es precisamente esclavitud, y, sin embargo, así es la
> vida de las clases trabajadoras en casi todas las partes de nues-
> tro mundo (p. 76).

Y por la propuesta de alternativas de organización y
conducta social. La solidaridad está esbozada en las páginas del libro. El tipo de sociedad que describe Rafael Non-
senso, el personaje que explica y defiende las características de la isla de Utopía en un supuesto diálogo con el autor,
es comunista en el sentido original del término. En ese
país, que se gobierna democráticamente, no hay propiedad
privada, la producción y la asignación de recursos están
planificadas, aunque descentralizadamente, y el reparto del
producto se hace según las necesidades de cada cual. Hay
un sistema de beneficencia para atención de enfermos,
ancianos y desvalidos, e incluso una política para recibir
emigrantes de otros países vecinos.

Las ideas de Tomás Moro, o las que el autor vierte en su
libro, son realmente avanzadas y atrevidas para la época.
Se pronuncia, por ejemplo, contra la pena de muerte a los
ladrones, que se les daba en aquellos tiempos incluso por
robar alimentos para subsistir:

> Este método de tratar a los ladrones es injusto y no se justi-
> fica socialmente. En lugar de aplicar estos horribles castigos,
> sería más oportuno proveer a cada cual con algunos medios de
> subsistencia de manera que nadie se viera en la horrible necesi-
> dad de convertirse primero en un ladrón y luego en un ca-
> dáver.[2]

2. Cito de una traducción inglesa del texto original que está escrito en
latín. Thomas More, *Utopía*, Penguin Classics, Harmondsworth, 1965, p. 44.

Me parece injusto quitar la vida a un hombre porque haya robado algo de dinero. A mí me parece que no hay propiedad por grande que sea que valga lo que una vida humana.[3]

De más significación quizás para el objetivo de este capítulo es lo concerniente a la propiedad privada:

> Estoy convencido de que nunca se va a tener una justa distribución de los bienes o una organización satisfactoria de la vida humana hasta que no se suprima completamente la propiedad privada. Mientras ésta exista, la gran mayoría de la raza humana [...] inevitablemente continuarán trabajando bajo una carga de pobreza, dureza y preocupación (menciona diversas medidas que se pueden tomar para aliviar la suerte de la gente) [...] Pero no hay esperanza de curación mientras continúe la propiedad privada.[4]

Los habitantes de Utopía no eran cristianos, pero cuando recibieron el mensaje del cristianismo, cuenta Rafael:

> No tienen idea de cuán fácil fue convertirlos. Quizás estaban influenciados por alguna inspiracción divina o quizás es porque el cristianismo se parecía mucho a su religión principal,[5] aunque yo me imagino que les impresionó mucho la información de que *Cristo había sancionado un régimen comunista de vida para sus discípulos,* que todavía se practica hoy en las comunidades verdaderamente cristianas.[6]

La afirmación no es exagerada. Por la respuesta que Jesús dio al joven rico (Marcos, 10, 21), parece que sus discípulos no tenían propiedad privada y es claro en Hechos (2, 44-45 y 4, 32) que la Iglesia primitiva estaba organizada con principios comunistas.

---

3. «Considerando que Dios nos ha prohibido matarnos incluso a nosotros mismos, ¿podemos realmente creer que unas leyes puramente humanas son bastante, sin ninguna autoridad divina, para eximir a los verdugos del quinto mandamiento?», *loc. cit.*, p. 50.

4. *Loc. cit.*, pp. 66-68.

5. La tolerancia religiosa era otra de las características de *Utopía*, tan extraña en Europa en el siglo XVI y para un personaje como More que condenó a muerte a varios herejes.

6. *Loc. cit.*, p. 118. El texto original dice: *Christo communem suoron victum placuisse.* La última línea parece referirse a la vida en los monasterios de estricta observancia. El realce del texto es mío.

Durante la mayor parte de la Edad Media, sin embargo, las ideas que componen esta tendencia y el conjunto de movimientos populares, reformadores, contestarios, tales como los «fratricelli», cátaros, valdenses, husitas, wyclefianos, etc., que vindican la pobreza del Evangelio, y condenan los abusos de la riqueza y de la propiedad, el enriquecimiento de los monasterios y los malos ejemplos de los eclesiásticos, pasan en los bajos fondos de la heterodoxia, reprimidos, perseguidos y severamente castigados con las peores penas espirituales y corporales.[7] Serían —para comparar su suerte con situaciones actuales— como la «Iglesia de los pobres» de entonces, que también contó con sus extremistas, naturalmente, aunque perseguida aquella quizás más acérrimamente que la de ahora no sólo por la Iglesia, sino también por los poderes mundanos por el potencial «revolucionario» que tenía.

Esta tradición genuinamente evangélica fue, si no minoritaria en números, sobre lo que sabemos poco, sí, por lo menos, en poder e importancia para configurar las instituciones medievales y el curso de la historia. Un rasgo común de los cristianos utópicos es la contestación del «orden» medieval y de su estructura del poder («el Papa tiene que ser verdaderamente el Siervo de los siervos de Dios»), la denuncia de la riqueza de iglesias y monasterios, la protesta por la suerte de las mayorías de campesinos pobres, con una afirmación de la solidaridad basada en la igualdad de los hombres a los ojos de Dios, que se considera incompatible con las diferencias que se veían en su sociedad.

La tradición realista

La otra tradición, que llamaríamos la *realista*, se inspira en Aristóteles y encuentra su mayor formulador en santo

---

7. En la novela de Umberto Eco *El nombre de la rosa*, que es una novela histórica de la época, se pinta muy bien ese mundo de contestación y protesta político-religiosa medieval que sufrió una tremenda represión, estigmatizado como herejía, y por eso mismo no ha pasado a la posteridad con la respetabilidad y la dignidad que merecería.

Tomás de Aquino. Obviamente, las ideas del gran maestro de la teología católica vienen de otras fuentes, de la Revelación cristiana contenida en los Evangelios y en los otros libros del Nuevo Testamento e interpretada por los padres de la Iglesia y los concilios.[8] Pero su filosofía social, como su cosmología, toma elementos importantes de Aristóteles (siglo IV antes de Cristo). Aristóteles había escrito en su obra la *Política*:

> Grande es, pues, la suerte de un Estado en el cual los ciudadanos tienen una propiedad moderada y suficiente, porque donde algunos poseen mucho y los otros nada puede surgir una extrema democracia[9] o una pura oligarquía, y una tiranía puede resultar de cualquiera de los dos extremos [...] pero que no es probable que resulte de los estratos medios y de los que le son afines [...] Una prueba de la superioridad de la gente del medio es que los mejores legisladores, como Solón, proceden de los niveles medios.

Es una curiosa concepción que se distancia tanto de la democracia, o poder del «demos» (de la plebe, para interpretar su pensamiento), como del poder de los pocos ricos, la oligarquía, para apoyar a la «politeia» o dominio de una clase media, pequeña en aquellos tiempos en la que sin duda se encontraban los «intelectuales» de entonces, los filósofos, los profesores; en definitiva, los hombres del saber.[10] Esta *aurea mediocritas* (mediocridad áurea) de la pequeña propiedad, que proclamaría como ideal epicúreo[11] el poeta latino Horacio, ha llamado siempre la atención de

8. Como contraposición al Antiguo Testamento, que los cristianos compartimos con los judíos, quienes no creen que Jesús de Nazaret fuera nada especial, quizás uno de tantos iluminados como hubieron en la Historia de Israel, y desde luego no el Mesías que habría de liberar al pueblo de Israel.

9. Cosa que Aristóteles no aprueba porque «democracia» para él es el poder del «demos», el pueblo, compuesto por los pobres que también entonces eran más.

10. Esta exaltación de la clase media es propia de la democracia norteamericana. Porque Estados Unidos es un país donde el 80 % de los ciudadanos se confiesan ser de clase media, cuando por criterios económicos y sociológicos, sólo lo serían la mitad de ellos, siendo unos pocos de la elite y unos cuantos más bien pobres.

11. Típica del *ne quid nimis* (nada en exceso) de los epicúreos.

los ideales cristianos en cuanto al uso de los bienes materiales: el poseer lo suficiente, sin exceso, para llevar una vida digna.

El pensamiento de Aristóteles no es democrático en el sentido actual, donde sin duda el número de pobres, la plebe para Aristóteles, constituye en muchos países la mayoría de los votantes, ni oligárquico, en el sentido de entonces y de ahora —que se lo pregunten si no a los ciudadanos de El Salvador—, sino aristocrático bajo la capa de medianía, porque la «virtud consiste en el medio» y «los mismos principios de virtud y de vicio son característicos de las ciudades y de sus leyes». Aristóteles se aleja de su maestro Platón en no querer describir el gobierno y la sociedad ideales, sino en analizar los mejores arreglos sociales posibles. Para eso nos tiene que ayudar la sana razón y la comprensión de la naturaleza humana.

El pensamiento político de santo Tomás de Aquino

De Aristóteles heredó santo Tomás de Aquino (1225-1274), el gran maestro de la Edad Media, la desconfianza en el gobierno por la mayoría, y de la tradición judeo-cristiana-romana (un solo Dios, un único Papa, un emperador) la preferencia por la monarquía, como forma de gobierno que reflejara mejor el orden celestial, también monárquico. En su tratado político *De Regimine Principum (Sobre los regímenes de gobierno)* afirma lo siguiente:

> El rey es quien gobierna la comunidad de una ciudad o una provincia para el bien común.[12]

Refiriéndose al gobierno de las unidades políticas más comunes en Italia, no conoce unidades de organización mayores, y el término «estado» le es completamente extraño. Santo Tomás defiende explícitamente la tesis de que «es más útil que la colectividad de hombres que viene en común

---

12. Santo Tomás de Aquino, *De Regimine Principum*, Marietti, 1946, Milán, p. 2.

sea regida por uno que por muchos» (p. 3). Usando la terminología de la *Política* de Aristóteles, clasifica los regímenes justos de mayor a menor: primero es la monarquía, después la aristocracia y por fin la «politia», un neologismo que traduce el griego «politeia», el régimen preferido por Aristóteles, que ya hemos visto. Pero así como el gobierno de uno es lo mejor cuando el rey es bueno y mira por el bien común, así el peor de los regímenes es la tiranía, una monarquía corrupta. De los regímenes injustos también establece una jerarquía: lo peor de todo es la tiranía; después, la oligarquía, y el menos malo, la democracia, en lo cual si se sustituye injusto por imperfecto, la afirmación del aquinate se asemejaría al juicio de Churchill de que «la democracia es el menos malo de todos los sistema conocidos».

> Así como en un régimen justo, cuando el que gobierna es uno el régimen es tanto más útil, de manera que el reino es mejor que la aristocracia y la aristocracia mejor que la *politia*, así al contrario, en un régimen injusto, cuanto el gobernante es más único tanto resulta más nocivo. Pues la tiranía es más nociva que la oligarquía, pero la oligarquía más que la democracia.[13]

Un texto en donde, a pesar de la construcción un tanto complicada, dice claramente el santo que la democracia es el régimen menos malo de los regímenes injustos. ¿Pensaba santo Tomás que en la vida real había algún régimen perfectamente justo? Si, como era obvio para alguien que creía en el pecado original, creía en su fuero interno que no había regímenes políticos del todo justos, podría estar descubriendo aquí el pensamiento insólito para el siglo XIII de que en el mundo del «hombre caído» la democracia era el régimen menos malo de los posibles. ¡Quizás! Hablando, sin embargo, en el plano de lo que debe ser, o de las realidades ideales, santo Tomás no exteriorizaba una idea muy

---

13. Y en otro pasaje se repite la idea: «Quod si in iniustitiam declinat regimen, expedit magis ut sit multorum, ut sit debilius, et se invicem impediant. Inter iniusta igitur regimina tolerabilius est democratia, pessimum vero tyrannis», *De Regimini Principum*, L. I, cap. III, p. 4: «Entre los regímenes injustos el más tolerable es la democracia, el peor la tiranía.»

elevada de la democracia, tal como la entendía siguiendo a Aristóteles.

> Si un régimen inicuo se ejerce por muchos se llama *demo-cracia*, esto es, el poder del pueblo, cuando el pueblo de los plebeyos por la fuerza de la multitud oprime a los ricos. De esta manera todo el pueblo sería como un tirano.

¿Cuál es el verdadero pensamiento de santo Tomás sobre la democracia? Los textos que hemos mencionado dejan la cuestión en una cierta ambivalencia, que se acentúa con otro texto posterior que parece apelar a la experiencia de los hechos:

> Es más deseable el régimen de uno solo que el de muchos, aunque de ambos se deriven peligros. Más aún, parece que hay que evitar más aquel del que más se derivan grandes peligros. Y frecuentemente se producen los mayores peligros para la colectividad del régimen de muchos que del régimen de uno solo [...] hay pues que huir más de los peligros que provienen del gobierno de muchos que del gobierno de uno solo.[14]

Un texto que parece contradecir formalmente la graduación que se hacía anteriormente. Lo que sí queda claro es que en principio el régimen mejor es el de la monarquía. *Unius regimen praeeligendum est* (Hay que preferir el gobierno de uno solo).[15] Y esto por razones filosóficas y teológicas, en definitiva, porque el rey es un ministro de Dios, de quien se deriva todo poder,[16] para el gobierno de la sociedad. Sólo Dios sabe cuánto pesaron estas opiniones en el pensamiento político cristiano. De hecho, la democracia, como el régimen de los muchos, fue aceptada muy tarde por la Iglesia católica. Bien es verdad que el poder del soberano —mediado a lo largo de toda la Edad Media por el poder del Papa— se le confería para el bien material y espiritual de sus súbditos, dado que el fin último de la colectividad política (ciudad o provincia) es la salvación

---

14. *De Regimini Principum*, L. I, cap. V, p. 6.
15. *Loc. cit.*, cap. VI.
16. *De Regimini Principum*, L. III, caps. I, II y III, pp. 38-40.

eterna de ellos. Esta finalidad o causa final del poder monárquico constituía ya una limitación intrínseca a su poder. Santo Tomás se extiende ampliamente sobre el «tirano», que sería simplemente el mal rey, al cual describe así:

> El tirano, despreciando el bien común, busca el suyo privado con la consecuencia de que grava a los súbditos de múltiples maneras, y el que se deja llevar por la pasión de la avaricia se apodera de los bienes de los súbditos, y si se deja llevar por la ira derrama sangre por cualquier cosa.[17]

Al tirano se le puede destituir por medios pacíficos y con prudencia, porque en las revueltas a veces se siguen males peores, y no por personas privadas, sino por alguna autoridad pública, sin que se peque contra el juramento de fidelidad que le hicieron. Los reyes estaban, pues, sujetos a la «Ley natural», una norma de orden superior a las leyes positivas que ellos podían dar (que más que indicar cosas concretas servía como instancia de apelación para vetar acciones contrarias al orden social que defendía la Iglesia), y a las leyes eclesiásticas, y ambas suponían serias limitaciones a su poder. Por lo tanto, los gobernantes medievales no eran monarcas absolutos, ya que, al menos en teoría, existía un control que se podía ejercer tanto por los súbditos como por la Iglesia, que interpretaba en circunstancias concretas la Ley natural e imponía los preceptos que dictaba la moral cristiana. El Papa podía castigar a un rey dispensando a sus súbditos, sobre todo a los nobles que disponían de tierras y de hombres (eventuales soldados), del juramento de fidelidad. Fue esta medida efectiva en su tiempo la que a muchos reyes les costó el reino.[18] La monarquía medieval no es una monarquía absoluta ni, de hecho, obligada a negociar constantemente con los poderes locales del señor feudal,[19] ni de iure, en el sentido de que no

---

17. *Loc. cit.*, p. 4.

18. Santo Tomás cita varios casos: el papa Zacarías que destituyó al rey de los francos, Inocencio III, que le quitó el imperio a Otón IV, y Honorio a Federico II. *De Regimini Principum*, p. 50.

19. Recordemos al «Cid Campeador», haciendo jurar al rey Alfonso VI que no había tomado parte en la muerte de su hermano durante el sitio de Zamora. Rodrigo Díaz de Vivar actuaba en nombre de la nobleza castellana.

se concibe ni se defiende por los «intelectuales» de entonces como absoluta.[20] Eso habrá de venir con el Renacimiento, con Maquiavelo y la Reforma protestante. En los escritos de santo Tomás el poder del monarca está estrictamente limitado por la naturaleza de su gestión: *Rex autem, populo gubernando, minister Dei est.*[21]

EL ORIGEN DE LA SOCIEDAD

Para Tomás de Aquino, como para Aristóteles, el hombre es por naturaleza social, está dotado para la vida social y necesita de ella para realizarse.

> Es natural al hombre que sea un animal[22] social y político, que vive en colectividad, más que a los demás animales [...] a otros animales la naturaleza les dotó de alimentos, la cubierta de pelo, defensas, como dientes, cuernos, uñas o al menos la velocidad para huir. El hombre está creado sin ninguno de estos atributos, pero en lugar de ellos se le ha dado la razón gracias a la cual puede obtener con el trabajo de sus manos lo que necesita. Aunque para conseguir todo no basta un hombre solo. *Pues un hombre solo no puede bastarse a sí mismo en la vida.* Es pues natural que el hombre viva en una sociedad de muchos.[23]

La vida social se articula en un conjunto de instituciones, siendo la familia la institución básica y la comunidad política la «sociedad perfecta», en el sentido de que es el estadio de organización en que los individuos tienen todo lo que necesitan para el desarrollo de su vida espiritual y material. Como, sin embargo, los hombres que lo componen son radicalmente pecadores, tienen que ser ayudados en su desarrollo social por las leyes (derecho canónico) y la

---

20. En 1316, Egidio Romano publicó un escrito defendiendo la *plenitudo potestatis* del Papa en el orden temporal, en contra de Felipe el Hermoso de Francia.

21. L. I, cap. VIII, p. 10.

22. En latín «animal» no significa bestia o bruto, sino ser dotado de ánima o alma, ser animado.

23. *De Regimini Principum*, L. I, cap. I, p. 1.

enseñanza (magisterio) de la Iglesia, además de las leyes de cada comunidad política. Las personas se integran en el organismo político por medio de asociaciones intermedias, relaciones de vasallaje y servidumbre, gremios (en las ciudades), cofradías, etc.

Al frente de la comunidad política está el rey o conde, o título que tenga el gobernante monárquico, con la obligación de procurar la felicidad de los súbditos —concebida por él como felicidad definitiva o salvación eterna— y dar leyes para el bien común. Que sea el «bien común» en santo Tomás no parece claro a algunos autores modernos (Giner, 1994, p. 150), aunque en su tratado político *De Regimini Principum* el santo entra en gran detalle sobre las acciones de un buen gobernante. De todas maneras se concibe como un concepto cuyo contenido tiene que determinarse históricamente, cosa que Tomás de Aquino supone como algo evidente.

A nivel general y abstracto, se puede decir que el bien común de la sociedad es aquello que hace que la sociedad funcione y cumpla los fines para los que está destinada: la felicidad individual. Si esto fuera así, resultaría que *una mano invisible* haría que quien trabaja para el bien común trabaja para el suyo individual, porque el hombre siendo por naturaleza un ser social no puede menos de beneficiarse del bien del conjunto.[24]

Es posible que el concepto de *bien común* en Tomás de Aquino no tenga suficientemente en cuenta la diversidad y conflictividad de intereses individuales que hay en las sociedades, aun en las más primitivas. Para los objetivos de este capítulo, que son mostrar la marcha del pensamiento humano hasta llegar al concepto moderno de solidaridad, señalaremos la importancia de la aparición en el acerbo intelectual de la humanidad del concepto de «bien común», que, aunque no sepamos en cada caso en qué consiste, sabemos que no es el bien individual, ni el del rey o gobernante, ni siquiera el del Estado, sino el del conjunto de los

---

24. Esto es, naturalmente, contrario en alguna manera a la proposición de Adam Smith, quien afirma en *La riqueza de las naciones* que cada uno, siguiendo su bien individual, puede contribuir al bien de la sociedad.

miembros de una sociedad. Sin embargo, tendrían que pasar muchos años hasta que se pudiera afirmar tajantemente:

> *En la época actual se considera que el bien común consiste* principalmente en la defensa de los derechos y deberes de la persona humana.[25]

LA SOCIEDAD MEDIEVAL

A pesar de todas estas maravillosas enseñanzas, la mayoría de los cristianos de la Edad Media —y de los judíos y mahometanos en su medio— y especialmente las mujeres y los niños cristianos vivían en unas condiciones que hoy nos parecen indignas.[26] Los que vivían en el campo, que eran con mucho la mayoría de la población (probablemente el 90 % al comenzar la Baja Edad Media, siglo XIII), estaban ligados a la tierra donde vivían y al señor que la poseía. Eran vasallos, ligados con un pacto de vasallaje, y siervos de la gleba (ligados al suelo), de la que dependían para sustentarse a ellos y a su familia, y en la que trabajaban para su señor a cambio de los medios de subsistencia. Era una relación ambigua en el sentido de que con la sumisión al señor se adquiría también una cierta seguridad jurídica y un cierto grado de los bienes públicos que hoy llamamos «ley y orden» y «defensa nacional», que consistía básicamente en la defensa contra las arbitrariedades resultantes de las conquistas territoriales y las incursiones de otros pueblos. Los señores eran también dueños de las aguas y en algunas partes tenían el monopolio de los molinos. Las aspiraciones de libertad del campesino medieval se centraban en poder vender las tierras que trabajaba y dejarlas en herencia a su hijos, además de reducir la carga tributaria que soportaba y otras servidumbres.

---

25.   Encíclica *Pacem in Terris* (60), *Once grandes mensajes*, BAC, p. 227.
26.   Para una visión general del mundo medieval, sobre todo de sus personajes más característicos, escrita por varios especialistas, véase: Jacques Le Goff (ed.), 1990, *The Medieval World*, Londres, Collin and Brown. Es una traducción inglesa de *L'Uomo Medievale*.

Estas aspiraciones llevaron a innumerables sublevaciones campesinas, la mayoría de ellas de carácter estrictamente local, que no llegaron a los libros de historia.

En aquellas sociedades existía, sin embargo, una cierta solidaridad, aquella por lo menos que dictaba la caridad cristiana con los más necesitados, ejercida normalmente a través de los monasterios y las limosnas de los nobles y ricos.

> Otra cosa que pertenece al buen gobierno del reino, de la provincia o de la ciudad, o de cualquier mandatario, es que del erario común se provea por el gobernante que manda a las necesidades de los pobres, de los huérfanos y de las viudas, y se ayude a los extranjeros y peregrinos [...] Para esto se han establecido hospicios (hospitalia) en cada provincia, ciudad o campamento, para ejercer este ministerio ya sea por los reyes, ya sea por los gobernantes y los ciudadanos para aliviar la miseria de los pobres.[27]

También fue importante el orden que imponía la Iglesia sobre las relaciones económicas para que nadie se aprovechara de las necesidades de los demás. Durante muchos siglos estuvo completamente prohibida la «usura», término con que se designaba el cobro de intereses sobre un préstamo aunque no fueran muy altos:

> Recibir un pago (dice literalmente «usura») por el dinero prestado es en sí injusto, porque se vende algo que no existe, con lo cual se da una desigualdad que va contra la justicia.[28]

La razón era que durante muchos siglos sólo se pedían préstamos cuando fallaban las cosechas y los agricultores se encontraban sin medios de subsistencia. El cobrar intereses por un dinero que se prestaba normalmente para comprar víveres se concebía como sacar ventaja de la desgracia ajena. Los préstamos eran para consumo y apenas se usaba el dinero como capital productivo. El dicho *pecunia non parit pecuniam* es un juicio tanto de economía

---

27. *Loc. cit.*, L. II, cap. XV, pp. 34-35.
28. *Summa Theologica*, 2-2ae, q. 78 a. 1, BAC, p. 510.

positiva como normativa. Cuando por el contrario se empezaron a necesitar grandes caudales para el comercio de las especias y los grandes viajes de conquista, el disponer de dinero se convirtió en una fuente real de enriquecimiento: el dinero se convirtió en capital, y se encontraron motivos (*danmum emergens* y *lucrum coesans*) para justificar el pago de intereses a préstamos productivos.

También se miraba con gran sospecha las actividades comerciales, sobre todo cuando no se reducían al intercambio en especie de los excedentes ocasionales, sino a transacciones organizadas por comerciantes profesionales que cobraban en moneda. Estas actividades son el campo de la justicia conmutativa y el problema moral de mantenerla es que en las transacciones y contratos se realice un intercambio de equivalentes. Esto llevó a la búsqueda un tanto estéril en la práctica, pero enriquecedora en la teoría, del «precio justo» de las cosas y el rechazo de los intereses que se concebían como que en ello no había igualdad entre lo que se daba y lo que se recibía.

Santo Tomás se preocupa en sus disquisiciones de los pobres de una manera muy radical. Preguntando en su tratado de los mandamientos si es pecado robar en caso de necesidad, responde con un dicho memorable sobre la propiedad privada:

> *In necessitate sunt omnia communia.* (En caso de necesidad todas las cosas son comunes.) Y así no parece pecado si uno le quita a otro una cosa que se ha convertido en común por razón de la necesidad.[29]

En otro lugar afirma que «en caso de necesidad la propiedad privada revierte a la común», es decir, que sustraer un pan contra la voluntad de su dueño no es un robo, si quien lo sustrae está en extrema necesidad. Es un caso que ilustra los límites que debe tener la propiedad privada en principio, aunque nadie hiciera caso y se siguiera tomando en la práctica la propiedad como un derecho absoluto, cuyas infracciones tenían que ser severamente castigadas.

29.   *Summa Theologica*, 2-2ae, q. 66 a. 7, BAC, p. 455.

Finalmente, quisiera mencionar algo que santo Tomás dice de un concepto afín al de *solidaridad*, el de liberalidad («liberalistas»), que podríamos traducir también por generosidad o largueza. El filósofo se pregunta si «la liberalidad es parte de la justicia» y se responde que sí.

> Porque tiene una cierta coincidencia con la justicia en dos cosas: primero porque siempre se refiere a otro, como hace la justicia, y segundo porque es sobre cosas externas como también la justicia [...] Y por lo tanto algunos ponen a la liberalidad como una parte de la justicia, como virtud secundaria anexa a ella.

Bueno, esto no nos aclara mucho, pero continúa:

> La liberalidad, aunque no se base en una obligación legal, que sería cosa de la justicia, se apoya en un cierto deber moral que se deriva de la misma decencia de la persona, no de que tenga obligaciones para con el otro.[30]

Un concepto que puede significar (la verdad es que el texto original no me resulta del todo claro) que la liberalidad va más allá de la justicia en cuanto a la elevación de las motivaciones para actuar, que es algo que incluimos en nuestra definición de *solidaridad*.

Una evaluación de la época

El hombre moderno se sorprende de que teniendo tan buenas ideas sobre la ley natural, la naturaleza social del hombre, el control de la autoridad real, el bien común, la equidad en los intercambios, las limitaciones de la propiedad privada, los teólogos medievales no hayan llegado a un concepto de la solidaridad humana que hubiera podido impulsar una práctica más equitativa y más humana en sus días. Por el contrario, la sociedad medieval fue en gran medida desigual e insolidaria con los más necesitados y los marginados (marginó, por ejemplo, a la mujer), beligerante

---

30. *Summa Theologica*, 2-2, q. 117, a. 5.

(las Cruzadas, por ejemplo), intolerante (persecución de disidentes y herejes, la Inquisición), antisemita y racista, explotadora de otros pueblos (comienzo de la esclavitud africana), etc. La misma imperfección que se suponía en el «hombre caído» hacía natural y explicable cualquier desigualdad y desproporción en las suertes personales, y no consideraron que fuera tarea del hombre el cambiarlo.

El problema con esta tradición realista, que es la oficial, la sancionada por los poderes de entonces y la que marcó las líneas de la historia futura —por afirmación o rechazo— es que se quedó atrapada en el *concepto de orden* que tenía. Así, citando a san Agustín, dice el aquinate:

> El orden es una disposición de cosas iguales y desiguales que atribuye a cada uno lo suyo. De donde es manifiesto que el concepto de orden implica desigualdad y así es en lo que se refiere al poder.[31]

En estas palabras se transparenta un orden de la sociedad que implica una estricta subordinación de las personas dentro de él, fijo e inmutable, al menos en principio, porque estaba determinado por el plan salvífico de Dios para con su creaturas («cada cual está en el sitio más adecuado para su salvación»). La relativa inmovilidad social de las sociedades rurales —en las que sin embargo las guerras ofrecen canales de enriquecimiento y promoción social— se sanciona como el resultado de un designio divino. Desde esta perspectiva, la ambición de mejorar, atribuida siempre a la concupiscencia de riquezas y honores que todos tenían, no se considera social ni religiosamente aceptable *a priori*, sino más bien pecaminosa, aunque *a posteriori*, después del enriquecimiento o la conquista, sí lo son. No hay duda de que los medievales, como todos los mortales, eran pecadores que no seguían al pie de la letra las directivas bienintencionadas de sus predicadores y teólogos. No cabe duda de que si se les hubiera escuchado más, la sociedad hubiera sido mejor, pero seguramente no tan buena como

---

31.   «Nomen ordinis inequalitatem importat, et hoc es de ratione domini», *De Regimini Principum*, L. III, cap. X, p. 48.

para liberar a los hombres de las desigualdades del destino y establecer sociedades más igualitarias y justas. Para eso hacía falta un tiempo de maduración.

En balance, este amplio período, que abarca más de la mitad de la historia después de Cristo, muestra en su «haber» el desarrollo de algunos conceptos derivados de las enseñanzas evangélicas pero elaborados de una manera racional, que son aplicables al buen gobierno de sociedades cada vez más complejas y a la protección de las personas humanas como seres sociales e integrados en una sociedad en que se debía lograr el bien común. Aparte de una tradición más evangélica, que, aunque reprimida y callada por muchos siglos, encontró expresión por medio de algunos espíritus más libres del Renancimiento y entró en el acerbo intelectual del mundo moderno como utopía, que una y otra vez se intentaría realizar.

En el lado del «debe» habría que poner una concepción de la persona humana demasiado negativa («hombre caído») y excesivamente «alienada» en la prosecución de un fin teológico y trascendente a su vida terrenal. Ese hombre es también *homo viator*, o peregrinante, hacia su patria celestial, lo que le hace, entre otras cosas, excesivamente dependiente de quienes pueden llevarlo a la salvación (en materias de fe y de costumbres) y menos considerado para con el prójimo. Este fin de la persona aparece de hecho como demasiado teórico para orientar cristianamente la vida práctica del hombre medieval. De ahí las grandes experiencias de pecado y arrepentimiento y las inconsecuencias entre la fe y la vida (como, por ejemplo, en la cuestión de la usura), que son caraterísticas de toda esta época. También resulta este fin un tanto ajeno a la experiencia humana. La explicación misma de la esencia de la persona y de la razón de su existencia se da en términos de la fe, en términos en definitiva de realidades no sentidas ni experimentadas, con menoscabo, desgraciadamente, de la orientación de las energías del hombre a metas terrenales individuales y colectivas, no como resultado de la debilidad y del pecado, sino como cosas en sí importantes, útiles y necesarias para los demás seres humanos, y, en esa medida, queridas también por el Hacedor.

CAPÍTULO 5

LA LIBERACIÓN DE LA PERSONA HUMANA

La liberación del Renacimiento

En el período que conocemos como Renacimiento (siglos XV y XVI) comienza a afirmarse la individualidad y la valía inmanente de la persona humana. Los hombres del Renacimiento, época de grandes convulsiones históricas y notables hazañas personales, son el resultado dialéctico de la vida y la filosofía medievales. Los arquetipos renancentistas son la antítesis del hombre obediente a los señores, a Dios (y sobre todo a los hombres de Dios), que piensa sobre sí mismo, la naturaleza y la historia guiado por el magisterio de los doctores de la Santa Madre Iglesia, que se sabe pecador y amenazado permanentemente con la condenación eterna, encerrado en un mundo con poca luz y poca cultura, pero protegido también por unas estructuras rígidas que organizan su vida familiar y social y su trabajo, y que le defienden en alguna manera de los peores reveses de la suerte.

El hombre del siglo XVI —para situar históricamente este movimiento— se descubre a sí mismo sus potencialidades en la vasta geografía de un mundo que no se acaba en las columnas de Hércules, sino que se extiende más allá del Finisterrae ibérico y del Landsend británico, en continentes llenos de posibilidades maravillosas. El descubrimiento de América por los castellanos en 1492 y las noticias, verdaderas y exageradas, que llegaban a Europa sobre las gentes, la flora y la fauna de esas tierras excitó la imaginación y la ambición de todos los pueblos de Europa. Por otra parte, algunos inventos estratégicos que afectaron a la navegación y a la guerra dieron a los aventureros nuevas posibilidades materiales de expansión y conquista nunca soñadas hasta entonces. La geografía medieval saltó en pedazos, y los guerreros y mercaderes trasladaron sus ambiciones a nuevas latitudes.

A la vez, en el plano de las costumbres y las actitudes personales, la misma corrupción de la jerarquía eclesiástica, su crasa mundanización, el abandono de la simplicidad y la disciplina de los votos en tantos monasterios, que dejaba a los hombres sencillos confundidos y a los honestos con ganas de reformar la institución eclesial, quitó credibilidad y fuerza a las enseñanzas de la Iglesia; los más atrevidos pudieron comenzar a pensar y vivir según sus impulsos sin grandes escrúpulos. Al convertirse el papado en un dominio temporal más, en lucha constante con los demás reinos de Europa por las posesiones materiales, con un olvido total de las virtudes cristianas básicas, los hombres inteligentes encontraron la excusa para sacudirse, al menos en el fuero interno, la tiranía espiritual de ideas y costumbres que imponía el magisterio de la Iglesia. Esta pérdida de credibilidad habría de llevar no solamente a un relajamiento de la obediencia al Papa, sino también a una franca rebelión contra él, como fue la Reforma protestante.

En esta reconquistada libertad de espíritu, el descubrimiento de los autores griegos[1] y latinos que se leen y se interpretan con una mentalidad secular, es decir, sin pasar por el filtro de la teología escolástica, dieron materia y forma a la autonomía del pensamiento renacentista. El mundo clásico es también la base de la eclosión de las artes plásticas, profanas y sin complejos, que caracteriza a la época. El cultivo de las ciencias naturales al margen de las interpretaciones del magisterio eclesiástico abre nuevas posibilidades a la investigación personal y representa en definitiva la afirmación de la autonomía de la mente humana, que podía buscar la verdad individualmente, investigar y equivocarse, claro está, pero también hallarla

---

1.   Los autores griegos son enseñados por los sabios de Bizancio que se refugiaron en las repúblicas italianas huyendo de los turcos.

en su deslumbrante desnudez en base a criterios inmanentes a las ciencias mismas.

En el plano político se van consolidando grandes reinos por unificación de unidades políticas menores. En nuestro caso, por el matrimonio de Isabel y Fernando, se juntan Aragón, Castilla y León para formar el reino de España. Francia e Inglaterra pasan por un proceso similar. Así se van configurando grandes unidades territoriales bajo una autoridad única, que deja de depender del Papa, al que muchas veces combate, y en este sentido se hace soberana, es decir, no dependiente de nadie ni responsable ante ningún poder terreno de orden superior. La Reforma protestante aceleraría este proceso de «soberanización» de los nuevos reinos. Así se van formando Estados que corresponden, a grandes rasgos, a comunidades nacionales, con la Iglesia como instancia de poder espiritual local, que apoyaba más a su rey que al Papa, cuando se hacían la guerra.

Maquiavelo y el hombre nuevo

Estos tiempos produjeron hombres de gran valía, de intereses múltiples, inquietos y curiosos que incursionaron en todos los campos del saber de su tiempo. Leonardo da Vinci es probablemente su exponente más completo. Pero quizás nadie dio una significación política al Renacimiento como Nicolás Maquiavelo (1496-1527), el inventor del concepto de «Estado» —que él por cierto aplicaba a las ciudades-estado de Italia—, y el primer tratadista político en sentido estricto, es decir, en el sentido de que, a diferencia de los filósofos Platón, Aristóteles y santo Tomás, no discutía cómo debían de ser los Estados y sus gobernantes, sino que mostraba cómo eran y cómo hacían —y cómo debían hacer— los gobernantes para mantenerse en el poder:

> Dado que mi intención es decir algo que pueda ser de utilidad para el interesado lector, he juzgado adecuado representar las cosas como son en la realidad y no como se imaginan. Muchos han soñado repúblicas y reinos de los que no se ha sabido que existieran en la realidad. La diferencia entre cómo

se debe vivir y cómo se vive en realidad es tan grande, que una persona que descuide lo que realmente se hace por lo que se debiera hacer, está en el camino de su propia destrucción más que en el de su preservación. El hecho es que quien quiere actuar virtuosamente en todo, busca su ruina entre tantos que no son virtuosos. Por lo tanto, si el gobernante quiere mantener su poder, tiene que aprender cómo no ser virtuoso, y hacer uso de ello o no según sea necesario.[2]

¡Todo un programa de gobierno! Maquiavelo ha sido normalmente interpretado como un amoral y un oportunista político, manipulador y pérfido. Es verdad que no tenía una idea muy elevada de la naturaleza humana:

Los hombres se preocupan menos de hacer una ofensa a quien se hace amar que a quien se hace temer. El vínculo del amor es algo que los hombres, pobres criaturas que son, rompen siempre que es para su ventaja el hacerlo; pero el miedo se fortalece con el temor al castigo que siempre es efectivo.[3]

Y no digamos nada de la «clase política», como se dice hoy. Pero algunas convicciones tiene: es, por ejemplo, un patriota porque en sus *Discorsi* defiende la libertad e independencia de las repúblicas italianas —que sólo se habría de conseguir en 1861— de los franceses, los españoles y del papado. El pensamiento de Maquiavelo es relevante a nuestra búsqueda en este capítulo porque es quizá el primero que hace fenomenología del comportamiento humano individualizado en la sociedad y en una determinada comunidad política. A diferencia de los escolásticos, que deducían de primeros principios la naturaleza social del hombre caído, Maquiavelo saca de la experiencia de sus cargos políticos y del estudio de la historia antigua su concepción del hombre: los hombres son iguales en todas las épocas, una mezcla de vicios y virtudes, en la que normalmente predominan los vicios, especialmente el deseo de poder y de riquezas:

---

2. Nicolás Maquiavelo, *El príncipe*, cap. XV.
3. *Loc. cit.*, cap. XVII.

Todos los que escriben sobre política han notado, y a través de la historia hay multitud de ejemplos que lo muestran, que al constituir y legislar en un Estado hay que dar por supuesto que todos los hombres son malos y que darán salida a la maldad que hay en sus mentes siempre que se ofrezca oportunidad.[4]

Que prueba lo que decimos sobre la opinión que tiene de los hombres. Y continúa la andanada a propósito de lo que sucedió en Roma después de la expulsión de los tarquinios:

Esto prueba lo que se ha dicho más arriba: que los hombres no hacen el bien a no ser que la necesidad les empuje a ello, pero cuando son libres de elegir y hacer lo que les place, la confusión y el desorden se hacen rampantes.

Sus obras están llenas de consejos como éste tan famoso:

Sobre todo, el gobernante debe abstenerse de tomar la propiedad ajena, porque los hombres olvidan antes la muerte de su padre que la pérdida de su patrimonio.[5]

Por eso sería, según él, necesaria la organización política, porque sin la coerción externa que ella ejerce no sería posible la convivencia humana. Y aun bajo el imperio de la ley del príncipe, existen problemas derivados de la insaciabilidad de los hombres en cuanto a las posesiones materiales, que el príncipe tiene que saber conjugar para obtener sus fines.

(Los que condenan las peleas entre los nobles y plebeyos que había en Roma) no se dan cuenta de que en toda república (o comunidad política) hay dos diferentes disposiciones, la del populacho y la de la clase alta, y de que toda la legislación favorable a la causa de la libertad se origina del enfrentamiento entre las dos.[6]

4. Nicolás Maquiavelo, *Discorsi*, Libro I, discurso 1-10, párr. 3.
5. *Loc. cit.*, cap. XVII.
6. *Discorsi*, L. I, discurso 1-10, párr. 4.

Es como la teoría moderna de los *checks and balances* de James Madison y los padres de la Constitución norteamericana, que supuestamente es el mecanismo de ajuste en la democracia en ese país.

El análisis ofrece una visión descarnada de la convivencia humana en su tiempo, que él considera de todos los tiempos, y por eso, en cierta manera, propia de la naturaleza del ser humano. Maquiavelo es para fines de este libro más importante por lo que rompe que por lo que construye. Pero al destruir las concepciones medievales y escolásticas del orden político, que son un obstáculo para que la mente descubra el concepto pleno de la solidaridad, plantea el estado de la cuestión de la convivencia humana en las nuevas sociedades políticas, plantea la cuestión de la legitimidad y el origen del poder con un pragmatismo y un realismo brutal, cuestión que deja sin resolver y abierta para la discusión futura.

La solidaridad, o conceptos equivalentes, como sería la colaboración para el bien común, brillan por su ausencia en este mundo de hombres malos. Si se da alguna colaboración entre ellos, como de hecho se da y siempre se ha dado, es por la conveniencia mutua para la defensa de la comunidad. Algo es algo. Finalmente, habría que notar que también es verdad que las últimas páginas de *El príncipe* y en todos los *Discorsi* se propone despertar la solidaridad con la patria italiana, y se revela como un gran italiano y un gran patriota, lo que le redime en cierta manera de su cinismo.

La Reforma protestante

El orden político medieval, una cristiandad «internacional» más o menos unida bajo el dominio —la *plenitudo potestatis*— del Papa con todo el bagaje de ideas, instituciones, costumbres y comportamientos que eso conllevaba, se fue corrompiendo lentamente tanto por la creciente falta de realismo en las exigencias que imponía a los hombres como por el empuje de las cosas nuevas. Poco a poco, el mundo medieval fue dando paso a un mundo diferente en aspectos sustanciales. Sin embargo, los mayores impulsos para el cambio del orden político medieval no vinieron de los humanistas, ni de los artistas, comerciantes y aventureros del Renacimiento, sino de la Reforma protestante.

La Reforma protestante, sin entrar ahora en su contenido teológico, que no sería propio de este libro, aportó varias dimensiones nuevas a la vida de los hombres renacentistas. Lo primero dio lugar a la negación teórica y práctica —que en este terreno es lo decisivo— del poder del Papa sobre los asuntos temporales de otras comunidades políticas distintas de los Estados Pontificios. La negación de la primacía secular, como resultado de la negación de su primacía eclesiástica, hizo a los reyes y príncipes «soberanos», en el sentido de que ya no tenían que responder ante autoridad humana alguna.[7] De esta manera desaparece una instancia de control sobre los reyes y príncipes que se había reconocido durante siglos en el mundo cristiano.

De aquí arranca un proceso de absolutización del poder monárquico, conveniente para reforzar los Estados emergentes, aunque no tanto para los ciudadanos, que habría de llevar a los excesos del siglo XVIII y dialécticamente a la revolución contra las monarquías. El efecto inmediato de la reforma religiosa de Lutero para los principados alemanes fue un aumento del poder de los gobernantes que se adhirieron a la reforma protestante y negociaron con Carlos V en la Confesión de Ausburgo, después de algunos años de guerra, el establecimiento de la nueva religión en sus dominios, lo que obligaba a sus súbditos a separarse de la obediencia de Roma y, en consecuencia, también del emperador.

Pero la «revolución» política que trajo consigo la Reforma no fue en absoluto una revolución social, por lo menos al principio. En efecto, cuando en Sajonia, Baviera, Bohemia y otros principados centroeuropeos los campesinos, creyendo llegado el momento histórico de su liberación al tener noticia de la libertad que predicaba Lutero, se sublevaron contra sus señores, los reformadores no les apoya-

---

7. Sino sólo me imagino, como suelen decir los dictadores, «ante Dios y ante la historia».

ron. En realidad, los campesinos se alzaron, una vez más, contra el pago de los impuestos —los diezmos y primicias— y las prestaciones que debían a la Iglesia, a los monasterios (pagos que en el nuevo régimen deberían efectuar a quienes los habían usurpado) y a los señores feudales. El movimiento, produciéndose en un tiempo ya de suyo muy agitado, causó gran alarma entre los poderes establecidos. Lutero se alió con la oligarquía terrateniente y medieval para aplastar las revueltas. Es famoso el panfleto que escribió: «Contra las hordas ladronas y asesinas de campesinos.» En él defendía el poder absoluto de los gobernantes establecidos y negaba cualquier motivo de levantamiento contra los príncipes que defendieran la religión verdadera. La suerte económica y social de las mayorías campesinas no mejoró bajo la Reforma. En algunos aspectos incluso empeoró, por ejemplo, por la imposición violenta a los súbditos de la religión de los príncipes, según aquello de *cuius regio eius religio* (según la región, así la religión).

Más positivas me parecen las consecuencias de la Reforma a nivel de la mente y la conciencia de las personas. Con la negación del Magisterio de la Iglesia que, según Lutero, no se necesitaba para conocer la verdad revelada, la cual se manifestaba por el libre examen e interpretación del texto bíblico, se le reconoce a la persona humana la capacidad excelsa de entrar en contacto directamente con la divinidad. Claro que para Lutero lo fundamental de la experiencia religiosa no es tanto conocer la verdad revelada cuanto sentirla, de manera que nos mueva al acto de fe, que es todo lo que hace falta para justificarse ante Dios y por lo tanto para salvarse.

En esta concepción del contacto humano con la divinidad se resalta la religiosidad individual y la responsabilidad personal directa a los ojos de Dios, sin la intermediación de la Virgen, los santos ni la Iglesia misma. No hacen falta sacramentos del perdón que sean canales simbólicos y eficientes de la concesión de la gracia. La religión es un asunto íntimo entre el hombre y Dios. Esta nueva concepción, que sin duda eleva la dignidad del hombre, terminando con la minoría de edad religiosa de la Edad Media, no deja de angustiar a los hombres piadosos en sus relaciones con Dios, y tienen que dar salida a esta angustia, a falta del cómodo sacramento de la penitencia, por medio del rigor de una vida moral según los criterios visibles del trabajo, los deberes familiares, la ayuda al prójimo y la lectura continuada de la Biblia.

Los protestantes enseñaron a leer a los plebeyos —y a la mayoría de los nobles—, dando un impulso moral a lo que Gutenberg había hecho posible con la invención de la imprenta: leer libros, libros ahora manejables, transportables y suficientemente baratos como para poder adquirir por lo menos uno en una vida. La obligación de leer la Biblia acostumbró a los fieles a leer otras cosas, lo que hizo posible aumentar la influencia de los pensadores y artistas,[8] y establecer nuevos centros de cultura secular fuera de los monasterios y las catedrales, que hasta entonces monopolizaban el saber.

Las familias o ramas protestantes se diferenciaron según las características personales y las vinculaciones geográficas y políticas de los reformadores. Una vez abandonado el principio unificador de doctrina y costumbres que era la autoridad de la Iglesia de Roma, estaba el campo abierto tanto para la experimentación de los líderes religiosos como para la adaptación de las estructuras eclesiales y del poder que confiere el predicar la fe en circunstancias políticas diversas. Esto fue, en definitiva, lo que más marcó las diferencias entre las diversas denominaciones protestantes. Así, el calvinismo es el resultado de la personalidad soñadora y austera de Juan Calvino y de las circunstancias geopolíticas de la ciudad de Ginebra, donde tomarom cuerpo algunas de sus concepciones sobre la organización de las comunidades políticas. Es conocido que los calvinistas, a partir de su teoría de la predestinación, llegaron a entender el trabajo duro y el éxito en las empresas materiales como una señal de predestinación.

8. Mientras, por el contrario, los católicos, por miedo a que interpretaran mal la Biblia, eran empujados a escuchar más que a leer, repitiendo fuera de contexto el dicho de san Pablo, proferido en un tiempo en que el leer algo era una proeza de la naturaleza: «Fides tamen ex auditu.»

De manera parecida se puede explicar el surgimiento de la Iglesia de Inglaterra, cuya separación de Roma no fue tanto por un desgarro doctrinal como por una cuestión de disciplina —el divorcio del rey Enrique VIII—, gravitando sobre la cuestión de dependencia económica y de soberanía que a todos los monarcas de la época les enfrentaba con el Papa. La Reforma fue, de hecho, como el «maná» de que habla el libro del Éxodo, que llovía cada día sobre el desierto y a cada hijo de Israel le sabía a un manjar diferente. Finalmente, quiero añadir que por medio de esta libertad de interpretar la organización de los creyentes se dio también salida al *pensamiento utópico*, que desde las primeras comunidades cristianas en las catacumbas continuó desarrollándose durante toda la Edad Media en la clandestinidad más absoluta, siendo salvajemente reprimido cada vez que intentaba salir a la luz. Con el tiempo, el pensamiento utópico cristiano floreció en la organización de algunas comunidades, como los puritanos, anabaptistas, cuáqueros, que naturalmente fueron perseguidas, pero eventualmente se plasmó, por lo menos por algún tiempo, en algunas instituciones de las colonias americanas tanto del Norte (estoy pensando en los peregrinos, los *pilgrims*, del *Mayflower*, que llegó a las costas de lo que sería Nueva Inglaterra, y en las colonias que allí fundaron), como del Sur (las reducciones del Paraguay).

Al final del siglo XVII, en que se pueden considerar acabadas las primeras etapas de la Reforma protestante y las guerras de religión que dieron paso a una época de relativa tolerancia religiosa, lo que había resultado de este proceso, para decirlo simplificadamente, era, del lado positivo, un individuo con un espíritu potencialmente liberado de la tutela intelectual y moral de las autoridades espirituales,[9] más capaz de buscar la verdad por sus propias fuerzas, con mayor sentido de la responsabilidad personal en el trabajo y en la vida social, con una moral en general más realista (por ejemplo, en lo concerniente al comercio y los préstamos) y menos mítica y mágica o sacramental —según se la

9. Aunque también es verdad que algunos reformadores fueron bien intolerantes con otras opiniones, católicas y no católicas.

quiera ver—, más culto y capaz de leer, más curioso y rico en experiencias y conocimientos.

Del lado negativo, se constata un fortalecimiento del poder de los reyes, príncipes y gobernantes, en estructuras más definidas que los pactos medievales, centralizadas y económicamente más fuertes (con un erario público más considerable), lo que permite, además de la colonización de nuevas tierras, financiar ejércitos permanentes y embarcarse en guerras de una envergadura, intensidad y duración no conocida en tiempos anteriores.

En una palabra, resulta la paradoja de un hombre más liberado interiormente que el hombre medieval, pero insertado en una estructura de poder político más definida y sólida, a la vez que más exigente y onerosa para el ciudadano. Se da una cierta contradicción en el progreso del hombre, porque, aunque en la Edad Moderna tiene menos limitaciones y complejos en su fuero interno y más dominio de las fuerzas de la naturaleza, está como prisionero en unas estructuras políticas más fuertes, más complejas y más exigentes que cualquiera otra forma de organización sociopolítica anterior, fuera de la esclavitud.

El progreso material

Durante todos estos años, la suerte de los países va mejorando como resultado, entre otras cosas, de la expansión colonial. Mejora la vida de los hombres por medio del comercio y de modestos pero decisivos inventos que facilitaron el transporte y los intercambios transoceánicos, pero desgraciadamente también las guerras de conquista. El desarrollo, sin embargo, de los países europeos durante el siglo XVII fue menor del que la acumulación de riquezas habría justificado, si no hubiera sido por la incidencia de las guerras de religión, que agotaron, por ejemplo, los enormes recursos que se trajeron a España del continente americano.

Las ciudades van tomando una importancia cada vez mayor en la vida política y económica de los países, aunque la mayoría de la población sigue viviendo en el campo y las economías siguen siendo predominantemente agrícolas. En las ciudades se va desarrollando como clase social la burguesía, compuesta básicamente de comerciantes, artesanos, gentes dedicadas a actividades que podríamos calificar como incipientes profesiones liberales (médicos, abogados, docentes, escritores y artistas), y en alguna medida también por los servidores del Estado de categoría inferior a la nobleza y el clero bajo. Los habitantes de las ciudades, los *burgueses*, son quienes mejor incorporan las fuerzas sociales de los nuevos tiempos y quienes van acumulando fuerzas para dar al traste con el régimen imperante desde la Antigüedad hasta el momento. Por el momento eran los sujetos agentes de la revuelta, más o menos pacífica, contra el poder espiritual del magisterio de la Iglesia. Más adelante, cuando hubieran tomado conciencia de su poder político, llegarían a desafiar el orden establecido y a destronar a los monarcas.

La Contrarreforma

Este tema no interesa demasiado al propósito de este libro, más que en un punto concreto: el surgimiento de los conceptos básicos del Derecho Internacional, conceptos que hasta nuestros días constituyen la base de la solidaridad internacional. El desarrollo de estos conceptos no es un efecto lógico y natural de la Contrarreforma, aunque se deba en gran medida a algunos personajes que fueron clave en ciertos mecanismos de la misma, como, por ejemplo, el Concilio de Trento y la Orden de los jesuitas. El desarrollo del Derecho Internacional o Derecho de Gentes se debe más bien al intento de responder, dentro de la tradición escolástica, a las cuestiones teóricas jurídicas y morales que plantean, por un lado, el descubrimiento y la conquista de América y, por otro, la necesidad de convivencia entre los Estados soberanos, ahora con diferentes religiones, del Viejo Continente.

Desde el punto de vista teológico, la Contrarreforma pretendió reforzar y sistematizar el orden medieval, manteniendo la sustancia de los dogmas y los principios filosóficos que los sirven. Esto se hizo sobre todo en el Concilio de

Trento, donde se resolvieron de forma autoritaria, es decir, por la proclamación de dogmas, las cuestiones disputadas con los críticos, ya fueran fieles a la Iglesia católica ya fueran protestantes. La fórmula final de los decretos: *anathema sit*, que se atribuía a cualquier persona que defendiera una proposición condenada, y que le convertía en hereje formal, indica el estilo antiintelectual y autoritario, en definitiva, dogmático, de los documentos que salieron de ese Concilio. No les bastaba a los padres congregados, hombres de gran altura intelectual muchos de ellos, demostrar contundentemente que los oponentes estaban equivocados. Había que obligarlos a que cambiaran de opinión, poniéndoles ante la alternativa de quedar excomulgados o desterrados de la comunidad eclesial. Este procedimiento de conseguir la unión de pareceres, típico de la Edad Media, suponía en plena Edad Moderna un intento de retrasar el progreso de la mente humana y de rebajar su dignidad de *ser racional*.

La época de la Contrarreforma, sin embargo, tiene un lado positivo, porque en posteriores discusiones (polémicas con los protestantes, disquisiciones académicas o ilustrativas para los gobernantes) se fueron añadiendo a las enseñanzas tradicionales, heredadas de los escolásticos clásicos, nuevos contenidos sobre los que «disputar». Las nuevas realidades (pueblos, razas, religiones, riquezas, relaciones económicas, inventos mecánicos, etc.) que se ofrecían como datos a la razón para que ésta los comprendiera y los juzgara. Es por eso una época de gran desarrollo de la teología moral y el derecho. Los mismos contenidos necesitaron formas nuevas en cuanto a la manera de argumentar, con menos énfasis en el principio de autoridad y más prestancia a la autonomía de la razón y las pruebas de la experiencia. En cierta manera, la Contrarreforma, de hecho, fracasó en su intento original y contribuyó, quizás sin quererlo, al avance, un avance no siempre evidente, de las nuevas corrientes de liberación del individuo.

Los jesuitas en concreto, tratando de salvar la escolástica de los ataques de humanistas y protestantes, pusieron, por medio de su sistema pedagógico, su *Ratio Studiorum*, las semillas de la definitiva destrucción de la escuela antigua.

Los jesuitas, en efecto, animaron a sus alumnos y a sus propios miembros a estudiar el mundo de una manera multidisciplinar, a interesarse por las ciencias naturales y experimentar en ellas, les llevaron a viajar, viajes misioneros sin duda, pero muy útiles para conocer las nuevas realidades, a conocer otras razas y costumbres y aprender a respetarlas y estimarlas.[10] Dentro de las aulas les enseñaron a combinar la lógica del raciocinio con el sentido común: ellos introdujeron el «método de casos» en el estudio de la teología moral, que habría de hacer famoso la Escuela de Administración de Empresas de Harvard en la segunda mitad del siglo XX, y trataron de formar personas autónomas y responsables, como se demuestra, por ejemplo, en la cuestión del probabilismo.[11] Finalmente, a sus alumnos les inculcaron un realismo metafísico (respeto por lo real) y una sensibilidad para la existencia, como aparece en la negación, típica de los teólogos jesuitas, de que se dé una distinción real entre la esencia y la existencia,[12] lo que da un significado profundo a lo mutable y circunstancial de la existencia humana.

Desde nuestro punto de vista, el principal defecto de los jesuitas desde su fundación hasta la supresión de la Orden fue el sometimiento a ultranza a las estructuras de poder establecidas, la defensa de las monarquías —aunque fue un jesuita, el padre Juan de Mariana, el primer teólogo católico que defendiera abiertamente el tiranicidio—, y en general la defensa de las sociedades jerarquizadas, como era la misma Compañía de Jesús. En fin, no es cuestión de extenderse mucho en estas cosas, que no son de un interés general, aunque le interesen personalmente al autor. Los críticos de los jesuitas en los siglos XVII y XVIII se pudieron cebar en las relaciones que los jesuitas sostenían con los

---

10.   Los ritos chinos del padre Ricci, los malabares de san Francisco Xavier, las reducciones del Paraguay, no son episodios aislados de unos jesuitas excéntricos, sino que responden a un espíritu inculcado en largos años de estudio a sus jóvenes. La incomprensión con que una vez más se encontraron las utopías llevó a la supresión de los jesuitas en el siglo XVIII.

11.   Una teoría moral que permite actuar cuando sólo se sabe *con probabilidad* que la acción es buena. Se opone al «probabiliorismo» que lo permite cuando la acción a emprender es más probablemente buena (que su contraria).

12.   Como defendían santo Tomás y los «tomistas».

poderosos de este mundo, aun cuando sus constituciones, sus votos y la filosofía de su fundador les tuviera que haber llevado al trato y cultivo preferencial de los más humildes y de sus intereses objetivos en los Estados absolutistas.

Con todos estos prolegómenos quiero venir a parar a la obra del padre Francisco Suárez y su teoría del Derecho Internacional, porque, junto con Juan Luis Vives y el padre Francisco de Vitoria, es uno de los padrinos de la solidaridad internacional. De las muchas cosas que se podrían tratar, me quiero concentrar en *la justificación o ausencia de ella de la conquista de América por los reyes españoles*. El estado de la cuestión es simple: dentro de las primeras décadas de la conquista de América se levantaron dentro y fuera de la Iglesia española muchas voces que denunciaron el tratamiento que los españoles estaban dando a los pueblos nativos del continente. De estas denuncias, las más famosas fueron sin duda las contenidas en el librito de fray Bartolomé de las Casas *Breve historia de la destrucción de las Indias*. Contra éste y otros «detractores» de la obra de la conquista, surgieron sus apologistas, fray Ginés de Sepúlveda, Alfonso de Castro y otros semejantes. La tarea de éstos no era fácil: porque primero había que demostrar que la conquista era justa, es decir, que una guerra de agresión, hecha por los Reyes Católicos a gobiernos y pueblos que nada les habían hecho, estaba justificada por el Derecho Natural o Derecho de Gentes.

Los argumentos no faltaron. Por ejemplo, Alfonso de Castro, autor de la obra *De iusta haereticurom punitione libri tres*, afirmaba:

> Creo que es justa la guerra que los Reyes Católicos de las Españas hicieron en otros tiempos y todavía hoy hacen contra gentes salvajes e idólatras que ignoran a Dios, descubiertas en el occidente austral.[13]

---

13. «Et testimonio huius preacepti fretus, ego sentio justum esse bellum quod chatolici Hispaniarum Reges contra barbaras gentes, et idolatras, quae Deum ignorabant, versus occidens et Austrum inventas, ante aliquos annos gesserunt et nunc etian gerunt.» La cita está tomada del libro de Luciano Pereña Vicente (1954), *Teoría de la guerra*, en Francisco Suárez, vol. II, texto crítico, Consejo Superior de Investigaciones Científicas, Madrid, p.150.

He aquí un ejemplo del tipo de argumentos que se daban:

— Los nativos de aquellas tierras no pueden gobernarse a sí mismos porque son ignorantes y salvajes.

— Como infieles que son tienen que ser obligados a creer, aunque sea por la fuerza.

— El Papa tiene jurisdicción sobre el orbe y les ha confiado a los reyes de España y Portugal la evangelización de esos países.

— Los herejes, los paganos y los que ofenden a Dios tienen que ser castigados por sus pecados.

— Hay que defender a los misioneros que predican la fe con peligro de sus vidas.

Éstos y semejantes argumentos se expusieron en las cátedras de Salamanca, Alcalá, Coimbra, etc., para justificar la guerra de conquista que los Reyes Católicos «llevaban» a América como guerra justa. Contra todos estos argumentos se levantaron una buena parte de los más famosos teólogos españoles del siglo XVI, Francisco de Vitoria, Domingo de Soto, ambos dominicos, y los jesuitas Francisco Suárez, Juan de Mariana, para negarlos rotundamente, poniendo así las bases para una condena moral del colonialismo en el futuro. Según estos autores, no hay razón alguna justa para colonizar a la fuerza a otros pueblos, no hay una «carga del hombre blanco», como diría Ruyard Kippling en el siglo XIX refiriéndose a una supuesta misión colonizadora y civilizadora del hombre blanco de las metrópolis europeas. El mensaje de los teólogos es claro: nadie nos ha dado derecho de conquistar otros pueblos porque no se sepan gobernar o porque sean infieles o porque tengan una supuesta obligación de recibir el Evangelio. ¡Su libertad y el derecho a que se respeten sus derechos debiera ser lo más importante para el católico!

La conclusión de que la conquista de América era ilegal e injusta, contra el Derecho de Gentes, y por lo tanto constituía un pecado de rapiña (contra el séptimo mandamiento), cuyo perdón requiere la restitución previa de lo injustamente apropiado, es una conclusión demasiado tremenda y demasiado cargada de consecuencias como para que alguien la hiciera explícita. Es decir, era una conclusión que no se sacó.

Voy a presentar unos cuanto ejemplos de la argumentación de Francisco Suárez que acabarán de aclarar el tema. En su tratado *De bello*, donde discute exhaustivamente las condiciones que justificarían una guerra justa y la forma como esta guerra tendría que ser declarada, conducida y terminada, toca cautelosamente el tema de la conquista. En el tratado *De legibus* lo aborda con más amplitud. Una cosa quisiera destacar al respecto de la «guerra justa» y es que, dadas las condiciones que pone para que una guerra sea justa ante el derecho, ninguna de las guerras del presente siglo, a no ser alguna de extrema legítima defensa, lo podrían ser, porque «los daños que causaron fueron peores que los que se trataba de remediar». Según este principio, ninguna guerra atómica podría ser justa.

> Algunos argumentan que los infieles son bárbaros e ineptos para gobernarse convenientemente y que el orden de la naturaleza postula que otras gentes más prudentes gobiernen a estos hombres [...] según aquello de Aristóles de que una guerra es por naturaleza justa si se hace contra personas que están destinadas a obedecer y no lo quieren aceptar.

La respuesta del padre Suárez no deja lugar a dudas:

> Esta razón no puede ser general, porque es evidente que muchos de estos infieles son más ingeniosos que los fieles y más aptos para los asuntos políticos. Además, para que esto sea una razón, no basta considerar que un país es inferior en ingenio (talento, inteligencia), sino tendría que ser tan carente, que viviera regularmente más a la manera de los animales que de los hombres, como dicen de unos que no tienen ningún tipo de gobierno, van desnudos y se alimentan de carne humana. Y si hubiera este tipo de gentes se les podría hacer la guerra no para matarles, sino para que se establezcan de un modo humano y se gobiernen justamente. Pero es muy raro o nunca se debería admitir esta razón, menos donde haya matanzas de seres ino-

centes y tales injurias, pero entonces la razón sería para una guerra defensiva y no agresiva (*De bello*, sec. V, n. 5).[14]

Es decir, que en ningún caso, aun en el más extremo de los mencionados, se justificaría una guerra de agresión con las muertes y la destrucción que se siguieron como fue la conquista de América y han sido todas las empresas colonialistas. Desgraciadamente, estas palabras pueden ser tomadas fuera de contexto, y probablemente así han sido tomadas alguna vez, para justificar la guerra —¿defensiva?— contra pueblos muy primitivos.

Otro argumento a favor de la conquista:

> Major y Sepúlveda dijeron que las gentes idólatras podían ser obligadas por la Iglesia para que adoren al único Dios y dejen los ritos de la idolatría, y si no quisieran hacerlo, podrían ser justamente castigadas y ser privadas de su libertad y de su reino.

Las respuesta de Suárez es contundente:

> Si estos infieles no son súbditos del Papa,[15] hablando propiamente no se les puede obligar tampoco a cambiar sus errores y sus ritos [...] porque la Iglesia no tiene jurisdicción sobre esos infieles, y la coacción o castigo sin jurisdicción no es justa.[16]

De ahí se sigue que el Papa no puede encomendar a ningún príncipe cristiano que vaya y conquiste una tierra de infieles para bautizarles y hacerlos hijos de la Iglesia. Eso no es excusa, *Ecclesia vero nullam habet jurisdictionem in infideles non subditos*: eso acaba con el argumento. Hay, sin embargo, otra variante, la de obligar a los infieles a que escuchen la predicación de la verdad del Evangelio.

---

14.   Luciano Pereña Vicente, *loc. cit.*, pp. 152-156.

15.   Como era ciertamente el caso de los pobladores de los nuevos territorios.

16.   Sacado del libro citado de Luciano Pereña Vicente, *loc. cit.*, apéndice II, pp. 282-285.

La fe tiene que ser voluntaria, y por lo tanto los medios para el fin también deben ser voluntarios, de manera que así como no es lícito obligar a los infieles a que acepten la fe, tampoco es lícito el obligarles a oírla (*Disputatio* XVIII, *De Fide*).[17]

En su tratado sobre las virtudes teológicas, afirma que no es lícita la ocupación militar para prevenir las injurias contra la fe. ¿Es la guerra una razón para prevenir las injurias al Evangelio? La cuestión ahora es:

Algunos dijeron que un príncipe cristiano podía ocupar el reino de un príncipe pagano sólo por esta razón, para que bajo el príncipe cristiano se predicara el Evangelio con mayor comodidad y seguridad. Pero como esto era increíble se modificó la cosa diciendo que los reyes cristianos podían enviar a los predicadores con suficientes soldados, no para hacer la guerra, sino que los misioneros fueran seguros.[18]

Suárez lo refuta citando las palabras del Evangelio: «He aquí que os envío como ovejas entre lobos» (Mat. 19 y Luc. 10):

Con las cuales quiere mostrar que la palabra de la fe no se puede introducir con la armas, sino con paciencia, mansedumbre, eficacia en la predicación y ejemplo de vida [...] Y además, porque en realidad no se trata de una defensa, sino de una agresión; de donde se sigue que es una coacción virtual a abrazar la fe o al menos a oír la fe, la cual no es lícita.[19]

En resumidas cuentas, que al establecer las causas justas de hacer la guerra, Suárez excluye sistemáticamente cualquiera de los argumentos que se dieron en su momento, y que todavía se usaban en los del autor, para justificar *post eventum* la conquista de América. Estos argumentos, como algunos de los mencionados, han sido, en formas más o menos seculares, los que han dado los colonialistas

17. *Loc. cit.*, p. 282.
18. Curiosamente, es una razón semejante a la que dio el gobierno del presidente Reagan en 1982 para invadir la isla de Grenada: asegurar las vidas de los norteamericanos, en su mayoría estudiantes, que se encontraban allí.
19. *Loc. cit.*, p. 296.

de todos los tiempos para justificar ante el derecho internacional sus acciones. Como se puede ver, están refutadas hace más de tres siglos. Estas doctrinas han sido y tienen que seguir siendo, salvados los condicionantes de la época, las bases para el orden internacional. De estas enseñanzas se ha aprovechado los papas modernos, así como muchos tratadistas laicos, para desarrollar su teoría política internacional.

CAPÍTULO 6

EL LARGO CAMINO
HACIA LA DEMOCRACIA LIBERAL

La libertad de la persona en el Estado absoluto

En los siglos XVII y XVIII los Estados europeos se desarrollaron enormemente, sobre todo desde que terminó la última guerra de religión, la guerra de los Treinta Años (1618-1648), y se impuso el sentido común de la tolerancia religiosa. Los Estados, basándose en su potencia marítima (una industria que fue «polo de desarrollo» en muchas regiones), se aseguraron el control de las lejanas tierras y el comercio de mercancías preciosas que de ellas provenían, entre otras el oro y la plata, sobre todo la plata en el caso de las colonias españolas en América. Con potentes flotas y nutridos ejércitos regulares, cada vez mejor dotados y con armas de fuego, las monarquías gobernantes acumularon grandes riquezas (que no siempre usaron eficientemente) y los ciudadanos bien situados en la escala social conocieron períodos de gran prosperidad económica. Los soberanos se dieron a organizar la vida en sus Estados y ciudades, a introducir una racionalidad desde el poder, según planes estratégicos globales para el engrandecimiento del Estado, regulando «por razón de Estado» (en vez de por el «bien común» como propiciaba la Iglesia en la Edad Media) aspectos múltiples de la vida cotidiana de los ciudadanos.

Paralelamente, en el ámbito privado de la persona, ésta se iba desarrollando sin cesar. Liberada en gran medida de tabúes religiosos, de imposiciones mentales y del pensamiento mítico y milagrero, con fácil acceso a los libros y por ese medio a las ideas de todos, la persona fue profundizando en el conocimiento de las fuerzas de la naturaleza, aprendiendo a usarlas en su provecho, y en el conocimiento de las opiniones más variadas, acostumbrándose al dominio de la razón. Muchas de las nuevas ideas, sin embargo, se pusieron al servicio de la defensa de los nuevos amos, los gobernantes absolutos, configurando una idea de la sociedad humana y una teoría del Estado que justificaban la unicidad e indivisibilidad de su poder político y la arbitrariedad de su ejercicio. La sociedad adquiere su dirección y objetivo en virtud del servicio al ideal abstracto del Estado, erigido en nuevo ídolo cuyo servicio santificaba cualquier clase de actividad humana. Un ejemplo de estos intelectuales es Baruch Spinoza (1632-1677), quien afirma que el monarca es la

> única persona que tiene derecho a juzgar cuáles son las exigencias del bien general... Por consiguiente, según los principios de la organización de los hombres en la sociedad, la autoridad en ejercicio es el único intérprete de las leyes (constitucionales); ningún particular tiene derecho a declararse campeón de ellas y no rigen para la persona investida de autoridad suprema.[1]

Pero el conflicto entre la libertad del hombre moderno y el poder absoluto del Estado pronto se hizo patente: un hombre más autónomo, ilustrado, culto y rico que en épocas pasadas, viviendo en medio de un Estado omnipotente, que controlaba la vida de los ciudadanos y disponía de sus vidas y haciendas en gran medida y arbitrariamente, que regulaba la actividad económica de las ciudades, cada vez más pujante e innovadora (con las letras de cambio y los certificados de depósito que circulaban como medio de cambio, etc.), que además pretendía una sumisión y entrega absoluta. El conflicto sólo se resolvió, al menos teórica y pragmáticamente, con la llegada de la democracia y la sustitución del Estado absoluto por un Estado de derecho, que no puede hacer con los ciudadanos todo lo que quiere.

1.   Citado por Salvador Giner del *Tractatus theologico politicus*. Salvador Giner (1994), *Historia del pensamiento social*, Barcelona, Ariel Historia, pp. 244-245.

Pero la sublevación del hombre contra el Estado fue lenta, y avanzó marcando hitos importantes, logrados muchas veces con mucha sangre del pueblo y de la nobleza, aunque menos. Aquí vamos a seguir esta marcha comentando a unos pocos autores, dejando para los tratados de ciencia política el desarrollo detallado de las fuerzas opositoras que dieron al traste con el «Antiguo Régimen». En la marcha del hombre contra el Estado absoluto se va definiendo una idea del hombre y de las relaciones entre los hombres, que es lo que a nosotros nos interesa principalmente.

De hecho, los monarcas absolutos no gobernaron tranquilamente sin problemas ni rebeliones de sus súbditos. El levantamiento de los Países Bajos y de Cataluña, ambos contra la corona española, es un ejemplo. Pero quizás el fenómeno político que dio más motivo para escribir y hacer filosofía política fue la Revolución puritana inglesa (1641-1660), asociada muchas veces con el nombre de Oliverio Cromwell (1599-1658). De ella se estudiaba poco en nuestros libros de historia, sin saber ni adivinar que durante ella se pusieron los cimientos institucionales de lo que habría de ser la democracia parlamentaria y el Estado de derecho. Bien es verdad que los comuneros de Castilla ya en 1519 se alzaron contra el emperador Carlos I en defensa de un régimen de este tipo, en el que las Cortes de Castilla fueran realmente un mecanismo de limitación y control del poder real. La batalla de Villalar en la Tierra de Campos y la ejecución de los líderes comuneros Padilla, Bravo y Maldonado, acabaron con el intento.

La guerra civil inglesa comenzó cuando Carlos I, hijo y sucesor del despótico Jacobo I, disolvió repetidas veces el Parlamento y éste se alzó contra el rey. Derrotado éste, se estableció un duro gobierno presidido por Cromwell, que algunos han caracterizado como «dictadura del Parlamento», y que dio paso a la restauración monárquica con Carlos II en 1660. Al tratar de anular todos los logros revolucionarios, otra revolución pacífica en 1698 contribuyó a consolidar lo conquistado por el Parlamento sin echar al rey. Así se fue configurando el régimen típicamente inglés de la «monarquía parlamentaria», un modelo constitucional que ha adoptado la democracia en España.

Hobbes y la teoría del Estado absoluto

Autor relevante de aquella época es Thomas Hobbes (1588-1679), el gran defensor del Estado, del poder absoluto del soberano, a quien visualiza con la figura mítica de Leviatán. Pero Hobbes es también el primer defensor, con puros argumentos racionales, de la igualdad de todos los hombres, en sí mismos y ante la ley. Tenemos que dar crédito a Hobbes por haber visto que la sociedad jerárquica de siglos anteriores estaba siendo sustituida poco a poco por una sociedad del mercado, que era en muchos sentidos una sociedad más igual, porque para su funcionamiento requería unos derechos legales iguales, e igual justicia para todos los participantes, cualquiera que fuera su nivel de riqueza o su estado tradicional. En efecto, en una tal sociedad

> la seguridad del pueblo requiere [...] que la justicia sea administrada por igual a todos los grados del pueblo, es decir, que se reparen las injurias hechas tanto a las personas ricas y poderosas como a las pobres y oscuras.[2]

La teoría del Estado de Hobbes se basa en su afirmación de que todos los hombres son iguales y, por lo tanto, ninguna clase o grupo de ellos tienen un derecho moral particular, ni estaría justificada la pretensión de ser diferente y tener obligaciones y derechos especiales. Para que todos los hombres tengan o se den a sí mismos la obligación de obedecer al soberano absoluto, tienen que ser iguales, en el sentido de que ninguno, fuera del soberano, tenga un derecho mayor que otros que le pueda proporcionar una coartada para no aceptar el gobierno del soberano, u obligarle menos y en menos cosas. «En la medida en que toda la idea de Hobbes —escribe un comentador— era producir una ciencia de la política que demostrara a partir de los hechos la necesidad de una obligación política universal, tenía que proponer el postulado de la igualdad.»[3]

2. *Leviathan*, cap. 30, p. 180.
3. C. B. MacPherson (1961), «Introduction», en Thomas Hobbes, *Leviathan*, Penguin Books, p. 59.

Quizás no sea éste el aspecto más conocido del autor, o aquel por el que tiene tanta fama en el mundo de los políticos, pero es el más importante para efectos de este libro. Con él comienza una tradición que llevará hasta los conceptos que abrazamos en nuestros días. Sin embargo, desde el punto de vista de la solidaridad humana, Hobbes es un testimonio más bien negativo: el hombre en su estado natural, que no es ya en el que se encuentra el autor en pleno siglo XVII, es esencialmente individualista e insolidario:

> Los hombres no encuentran placer (sino al contrario, muchos disgustos) en guardar compañía donde no hay un poder capaz de imponerse sobre todos «... cuando los hombres vivían sin un poder que les infundiera respeto estaban en la condición que se llama guerra, y una guerra tal que es de cada hombre contra todos los demás... Una guerra cuya naturaleza consiste no tanto en combates concretos cuanto en la predisposición para combatir, y durante todo ese tiempo no hay seguridad ninguna de lo contrario. Es decir, la paz. Y lo que es consecuencia de un tiempo de guerra, en que cada hombre es enemigo de todos los demás, lo mismo sucede en un tiempo en que los hombres viven sin otra seguridad que la que las propias fuerzas y los propios inventos les pueden ofrecer [...] y lo que es peor de todo, continuo miedo y peligro de una muerte violenta, y la vida del hombre solitaria, pobre, sucia, brutal y corta».[4]

Escribiendo en plena guerra civil, Hobbes tiene ciertamente una visión muy pesimista del hombre:

> Porque las leyes de la Naturaleza, como Justicia, Equidad, Modestia, Compasión, y en resumen hacer a los demás lo que nos harían a nosotros, por sí mismas, sin el miedo a un poder que obligue a respetarlas, son contrarias a nuestras pasiones naturales que nos llevan a la parcialidad, orgullo, venganza y a cosas semejantes. Y los pactos, sin la espada, no son más que palabras, y sin fuerza para dar seguridad alguna al hombre. Por lo tanto, a pesar de la ley natural (que cumple quien quiere cuando se puede hacerlo sin peligro), si no se erigiera un poder

4. *Leviathan*, parte I, cap. XIII, p. 186.

suficientemente grande para nuestra seguridad, cada persona que quisiera podría legalmente apoyarse únicamente en su propio poder y astucia para defenderse contra todos los demás.[5]

Como todos los hombres son iguales, nos viene a decir, y cada cual trata de dominar a los demás y de apoderarse de sus cosas (familia, enseres, animales, etc.), es necesario otorgar a alguien la soberanía sobre todos o investir a uno de ellos en soberano para que haya orden. Si los hombres se juntan en sociedad y respetan las leyes es por pura conveniencia, «por su propia preservación»:

> La única manera de erigir un tal poder común capaz de defenderlos de las invasiones de extranjeros, y de las injurias mutuas así como darles seguridad de que con su propio trabajo y los frutos de la tierra puedan alimentarse y vivir contentos, es conferir todos sus poderes y fuerzas a una persona o a una asamblea de personas, de manera que se puedan reducir sus voluntades, por la pluralidad de votos, a una sola voluntad... Esto es más que un consenso o concordato, es una unión real de todos ellos en una y la misma persona, hecha por un contrato de cada uno con todos los demás...[6]

Así surge el Estado absoluto, «ese gran Leviatán o más bien (para hablar con más reverencia) ese Dios Mortal al cual debemos bajo el Dios Inmortal nuestra paz y defensa». En esto se basa la necesidad y los atributos tan extremos del Estado absoluto, aunque Hobbes, como hacía santo Tomás, trata de definir las funciones del soberano como una preocupación por el bien común y el mantenimiento de un cierto «Estado de derecho». Defiende, en definitiva, un absolutismo benevolente, que da al soberano la confianza y credibilidad que niega a los ciudadanos individualmente.

Con Hobbes, que ha recogido elementos de Maquiavelo pero los ha organizado de manera bien diferente, se deja planteada la cuestión de la vigencia del Estado como resultado de un contrato para la superación de los malos instin-

5. *Loc. cit.*, pp. 223-224.
6. *Loc. cit.*, p. 227.

tos egoístas y los comportamientos antisociales de los hombres dejados a sí mismos. La vida en sociedad es vivible gracias a la autoridad del Estado, quien debe asegurar, que fuera del soberano, todos los ciudadanos sean iguales ante la ley como lo son por naturaleza. El poder del Estado proviene de los ciudadanos, quienes han hecho un contrato para conferirlo a su soberano gobernante. En este esquema el poder del Estado crea y garantiza la solidaridad funcional de los ciudadanos, que no existe previamente al contrato de constitución. La igualdad para Hobbes es puramente filosófica y nada empírica, pues no reconoce las desigualdades que provienen del mercado, aun en sus estadios primitivos, y las diferencias que de hecho crea de los ciudadanos ante la ley.

Contra Hobbes y Barclay (autor de *Contra Monarchomachos*), defensores de la monarquía absoluta, escribiría años más tarde, a finales del siglo XVII, el filósofo y moralista John Locke (1632-1704) *Dos tratados sobre el Gobierno*, y especialmente el segundo, que es sin duda el de mayor influencia en la Revolución americana y en poner un fundamento al liberalismo político del siglo XIX, influyó probablemente en Rousseau y Voltaire, y por medio de los franceses, en la Ilustración y en definitiva en la Revolución francesa. La marcha de su argumentación es como sigue: los hombres en el estado natural son iguales y libres y fundamentalmente buenos. Están sometidos, sin embargo, a la Ley de la Naturaleza, que se puede conocer por la razón, y que manda no dañar a nadie en su persona o en sus bienes. Pero esta ley resulta débil o insuficiente para defender su propiedad sobre todo, por lo que estos seres fundamentalmente libres se ven obligados a ponerse de acuerdo en formar una sociedad civil, rindiendo sus derechos naturales a una comunidad, no para que se los quite, sino para que se los defienda.

Los hombres, siendo, como se ha dicho, todos libres por naturaleza, iguales e independientes, nadie puede ser sacado de este estado y sometido al poder político de otro sin su propio consentimiento, lo que se hace poniéndose de acuerdo con otros hombres para juntarse y unirse en una comunidad para llevar una vida cómoda, segura y pacífica, los unos entre los otros, en un disfrute seguro de sus propiedades y con mayor seguridad contra los que son de ella [...] Cualquiera que, por lo tanto, del estado de la naturaleza se une en una comunidad, debe entenderse que cede todo el poder necesario para los fines por los cuales se une en sociedad a la mayoría de la comunidad... Y así, lo que comienza y de hecho constituye una sociedad política, no es nada más que el consentimiento de un número de personas libres capaz de formar una mayoría a unirse e incorporarse a una tal sociedad. Y esto es lo único que dio y puede dar origen a cualquier gobierno legítimo en el mundo.[7]

Todo esto excluye, naturalmente, el gobierno de los monarcas absolutos:

Es evidente que la monarquía absoluta, que algunas personas la consideran como el único gobierno en el mundo, es del todo incompatible con la sociedad civil, y por eso no se la puede considerar como una forma de gobierno civilizado.[8]

Porque, para ponerlo simplemente, el soberano absoluto sería juez y parte en cualquier disputa con uno de sus súbditos, y eso sería, según Locke, como volver a la precariedad jurídica del Estado primitivo. Locke es sin duda uno de los padres intelectuales de la democracia burguesa, porque asigna al Estado la defensa de la propiedad privada como uno de los factores que llevan a los hombres a abandonar su estado de libertad natural y a vincularse a las obligaciones de la sociedad civil.

La Ilustración, la Enciclopedia y la confianza en el progreso humano

El pensamiento de los intelectuales franceses —si les podemos llamar así— bajo el «absolutismo ilustrado» de los Borbones en los siglos XVII y XVIII es mucho más opti-

---

7. John Locke, *The Second Treatise on Civil Government*, Prometheus Books, cap. VIII, pp. 54-56.
8. John Locke, *loc. cit.*, p. 50.

mista e inclinado a reconocer las capacidades innatas del ser humano que Maquiavelo y Hobbes. Quizás porque vivieron bajo un régimen político distinto, más benigno que el de la guerra civil inglesa. A mediados del siglo XVII se establece en Francia una línea de gobierno paternalista, promotor de la riqueza nacional y más tolerante con la libre circulación de ideas. Éstas se desarrollan más en academias, institutos o salones literarios que en las universidades, donde el pensamiento sigue siendo tradicional y bastante estancado. La nueva actitud que les caracteriza es un racionalismo militante, basado en una gran confianza en las facultades de la mente humana, y que se expresaba en la demanda de educación popular. Descartes, en *El discurso del método*, creía, como Francis Bacon y Pascal, que la mejora material y moral del hombre podría lograrse por medio de la ciencia y la filosofía. Y para que no se desanimaran, Leibniz defendería que el mundo era el mejor de los posibles, que la Providencia por medio de una «armonía preestablecida» había ordenado el mundo para que la historia caminara hacia un progreso indefinido.

Los autores de la *Enciclopedia*, los enciclopedistas del siglo XVIII, resumieron en sus volúmenes la ciencia de su tiempo y trataron de provocar una revolución cultural, aunque no política (la *Enciclopedia* no deja de defender el absolutismo ilustrado). La *Enciclopedia* defendía que, en cualquier parte, la razón humana, «el hábito de criticar organizado», podía derrotar a la superstición, el particularismo y el privilegio. La razón cultivada por la educación podía establecer una sociedad gobernada por principios racionales universales y administrada por el mérito. Su ideal sería poner el poder del Estado al servicio de la razón.[9] Pero se necesitarían los hombres-puente entre estas corrientes y la Revolución francesa de 1789, que sacarían las consecuencias del racionalismo, por una parte, de cuál era el modo de gobernar a los pueblos que pedía la razón, y por otra, sobre la naturaleza, dignidad y derechos de toda persona humana, una vez liberada —al menos potencial-

---

9. Véase sobre este tema: Salvador Giner (1994), *loc. cit.*, pp. 285-287.

mente liberada— por el dominio de la razón y la educación. Creo que estos hombres-puente entre el Racionalismo y la Revolución fueron el barón de Montesquieu y Jean-Jacques Rousseau.

A Montesquieu, como a Voltaire, le impresionó mucho, en sus visitas a Inglaterra, la situación social posrevolucionaria, donde en lo económico y lo político ya se veían las señales del futuro, y trataron de difundirlo por su país. En su obra *El espíritu de las leyes* se sientan las bases de la teoría moderna del Estado, tanto en cuanto a la división de poderes como en el mecanismo básico de control mutuo de las diversas ramas de la administración del Estado. Montesquieu fue una persona moderada que expuso moderadamente unas ideas que con el tiempo habrían de acabar con la monarquía. La separación de poderes sólo se puede dar en una república o en una monarquía constitucional. Es notable el impacto que Montesquieu tuvo sobre los gestores de la Revolución americana (1776), que precedió en pocos años a la francesa y tuvo para el mundo tantas consecuencias como ésta.

Jean-Jacques Rousseau es harina de otro costal. Su antropología optimista (el hombre es naturalmente bueno) tiende el puente necesario para llevar al hombre primitivo, lobo para su semejante, de Maquiavelo y Hobbes a una humanidad primitiva bienaventurada, en un estado original de inocencia (niega, claro, el pecado original) que se manifiesta en esa creación típicamente rousseauniana del «salvaje feliz», y que habría de formar los fundamentos de la antropología de la Revolución francesa (y de la americana, ¡excluyendo la cuestión de la esclavitud!). Si ahora encontramos al hombre lleno de problemas, desgracias y maldades, es obra de la sociedad, la sociedad que él mismo se vio obligado a formar, por azares de la vida humana, para ordenar su convivencia por medio del «contrato social», esa especie de acuerdo entre aldeanos de las montañas suizas, en virtud del cual se constituye la sociedad humana. Rousseau defiende la igualdad de los seres humanos con una inusitada fuerza usando argumentos de razón (y no teológicos), aunque su concepción no deja de ser un tanto peculiar.

La igualdad está dada por la naturaleza, nadie en su estado primitivo posee la capacidad ni la fuerza física para ser diferente ni el incentivo para dominar a los demás.[10] Las diferencias observables al presente entre los hombres no provienen de la naturaleza, como decía, por ejemplo, Aristóteles, ni de ningún orden o plan trascendente, como parecen defender los escolásticos, sino de la sociedad misma. En su obra *Los orígenes de la desigualdad entre los hombres*, trata de demostrar que la causa específica de la desigualdad es la institución de la propiedad privada, algo que siempre recordarían los socialistas posteriores para ponerle entre sus héroes y antecesores.[11]

> Es indiscutible, y es una máxima fundamental del derecho político, que los pueblos se han dado jefes para defender su libertad, no para esclavizarse. Si tenemos un príncipe, dijo Plinio a Trajano, es para que nos evite tener un amo.

Su influjo sobre los dirigentes intelectuales de la Revolución francesa es innegable, así como lo fue sobre Thomas Jefferson y el movimiento que llevó a la Independencia norteamericana. En la «Declaración de Independencia» (4 de julio de 1776) se afirma:

> Tenemos como verdades evidentes que todos los hombres han sido creados iguales y que están dotados por su Creador de ciertos derechos inalienables, que entre éstos están vida, libertad y la búsqueda de la felicidad. Que para asegurar este derecho los gobiernos se establecen entre los hombres, derivando sus poderes legítimos del consentimiento de los gobernados...[12]

---

10.   J.-J. Rousseau, *Política del contrato social*, libro I, caps. 1 y 2.

11.   Por su denuncia de los efectos corruptores de la propiedad y por inventar el término de «alienación del hombre» para designar a la situación del hombre bajo las convenciones y la moral de la civilización, véase Salvador Giner (1994), *loc. cit.*, pp. 330-332.

12.   «The Declaration of Independence», American Historical Documents 1000-1904, The Harvard Classics, 1980. Es muy dudoso que los forjadores de la Declaración y posteriormente de la Constitucion norteamericana creyeran que los negros habían nacido libres y poseían estos derechos inalienables. La cuestión de la esclavitud ponía en juego otro sistema de «evidencias».

Palabras que tienen ecos de los conceptos rousseaunia-nos y de otros enciclopedistas. Pero volviendo a la situación en Francia, podemos decir que el «contrato social» y la idea de la «voluntad general», que era para Rousseau algo pare-cido al consenso que se obtenía en la democracia directa de los cantones suizos (y que todavía se obtiene en los más montaraces), se transformó por obra y gracia de los revolu-cionarios en el trasunto de la voluntad del pueblo y en un mandato para contratar (desde arriba, como en todas las revoluciones) una república. Pero la verdad es que no se puede vincular la idea de la igualdad de los hombres, que forma el tríptico sagrado de la Revolución con la libertad y la fraternidad a otro filósofo o escritor de la época que la defendiera con más entusiasmo que J.-J. Rousseau.

La Revolución francesa: libertad, igualdad, fraternidad

Como dice Giner, «la importancia de la Revolución francesa estriba en ser la que representa en sus consecuen-cias, con mayor plenitud, la consolidación de las institucio-nes políticas, los valores culturales y las relaciones econó-micas que caracterizan a la burguesía».[13] Me gusta, sin embargo, la interpretación de la Revolución francesa que hace Michael Mann en el volumen segundo de su obra *Las fuentes del poder social*,[14] que la resume como una «serie de terribles errores de cálculo» (*ghastly miscalculations*):

> La Revolución no comenzó como una lucha de clases, a excepción de los campesinos (en contra de lo que muchos socia-listas han defendido), pero se convirtió en una lucha de clases al tiempo que se convirtió en una lucha nacional [...] La revolu-ción se convirtió en burguesa y nacional, menos a partir de la lógica de la transición del modo de producción feudal al capita-lista que a causa del militarismo del Estado (que generó proble-

13.   Salvador Giner, *loc. cit.*, p. 351.
14.   Michael Mann (1993), *The Sources of Social Power*, Cambridge Univer-sity Press.

mas fiscales), de su fracaso en institucionalizar relaciones entre elites y partidos enfrentados, y de la expansión de infraestructuras ideológicas discursivas que portaban alternativas de principio... Cuando los conflictos de clase se entrelazan confusamente con otros conflictos, las clases dominantes pierden concentración sobre sus intereses de clase. Entonces el descontento popular les puede sacar de quicio, inducirles a errores y alimentar una situación revolucionaria como en Francia.[15]

En cuanto a los «autores intelectuales» de la revolución, es decir, los personajes que dieron las ideas y teorías que entraron en juego, no hay muchos nuevos, si se exceptúa al abate, o cura, Emmanuel Joseph Sieyes (1748-1836), autor del *Ensayo sobre los privilegios*, que sería, junto a Napoleón Bonaparte, autor del golpe del 18 de Brumario del año VIII (1799). La mayor parte de las ideas que ayudaron a impulsar la acción y a orientar las nuevas estructuras de la revolución son las ideas que tan brevemente hemos expuesto en este capítulo, el liberalismo (del cual tenemos que hablar más a fondo), el parlamentarismo, los racionalistas y el pensamiento filantrópico (fuertemente influido por la masonería), que es una parte de la Ilustración.

De los muchos aspectos interesantes e iluminadores que tiene este esencial fenómeno histórico que fue la Revolución francesa, debemos seleccionar aquellos que interesan a la marcha del argumento de este libro. Por eso quiero fijarme en la Declaración de los Derechos del Hombre y del Ciudadano que adoptó la Asamblea nacional el 26 de agosto de 1789. En el prólogo de la Declaración se afirma que

la ignorancia, olvido y desprecio de los derechos del hombre son las únicas causas de las miserias públicas y de la corrupción de los gobiernos

y se resuelve hacer esta declaración con varias finalidades, entre otras:

para que, estando siempre presente, a todos los miembros del cuerpo social les recuerde incesantemente de sus derechos y de

15.   Michael Mann, *loc. cit.*, p. 167.

sus deberes, y para que los actos del poder legislativo y los del ejecutivo se puedan medir con respecto a los fines de toda institución política y sean así más respetados.

En consecuencia, la Asamblea Nacional «reconoce y declara, en la presencia y bajo los auspicios del Ser Supremo»,[16] la lista de derechos que se siguen:

1. Los hombres han nacido y son libres e iguales en derechos. Las distinciones sociales sólo se pueden basar en la utilidad pública.
2. El fin de toda asociación política es la preservación de los derechos naturales e irrenunciables del hombre. Estos derechos son libertad, propiedad, seguridad y resistencia a la opresión.
3. La fuente de toda soberanía está esencialmente en la nación; ningún cuerpo ni ningún individuo puede ejercitar una autoridad que no provenga de ella en términos claros.
4. La libertad consiste en poder hacer cualquier cosa que no perjudique a otros; por lo tanto, el ejercicio de los derechos naturales de cada persona no tiene más límites que aquellos que aseguren a los demás miembros de la sociedad derechos iguales. Estos límites pueden ser determinados sólo por la ley.[17]

Y así continúa la lista que recoge los ideales de las luchas de todos los tiempos por la emancipación humana y constituye la base de todas las declaraciones posteriores.

El proceso político en Francia que siguió a la Revolución acabó perdiendo cualquier contenido de lucha de clases y de impulso revolucionario para dar paso al triunfo total de la burguesía nacional. Francia fue y ha permanecido siendo una nación burguesa, el Estado cristalizando como un Estado-nación y Estado capitalista, a pesar de que en constituciones sucesivas fuera imperial, monárquica y republicana, y con su organización fuertemente cen-

---

16. Parece que les resulta difícil dar solemnidad a una declaración humana si no hay por lo menos una sombra de Dios en la declaración.
17. Desgraciadamente tengo que traducir del inglés. Tomado de Diane Ravitch y Abigail Thernstrom (1992), *The Democracy Reader*, Harper and Collins, pp. 54-55.

tralizada y con mecanismos ideológicos capaces de movilizar al máximo los sentimientos de patriotismo y alianza con lo francés. A principios del siglo XIX nacía en el continente europeo un modelo de Estado moderno diferente del Reino Unido y Estados Unidos de América.[18]

Hegel y el idealismo alemán

Hegel, el gran filósofo de la historia, fue un admirador de la Revolución francesa en sus primeros tiempos, que interpretó a la luz de la historia antigua (y con la influencia de Rousseau) como la apoteosis de un modelo cívico, para convertirse más adelante en su crítico y detractor. Le traemos a colación aquí porque dio mucho juego al término de «sociedad civil», aunque la entiende de una forma absolutamente contraria a como la entendemos hoy en día, como una realidad antitética al núcleo de poder del Estado, es decir, al gobierno y al sistema de poder de los partidos políticos. Para Hegel, la sociedad civil, reducida a mercados y corporaciones y gremios profesionales (artesanos), no tenía más que una autonomía folclórica, de símbolos, manifestaciones, cantos (los «Meistersinger de Nüremberg» de Wagner nos los recuerdan) y queda «aufgehoben», asumida y conservada (y por lo tanto controlada y como anulada) en el Estado, que es la realidad esencial en el devenir histórico.

Hegel es el ideólogo del Estado prusiano, y con los filósofos románticos Herder y Fichte, forma parte de los responsables intelectuales del nacionalismo alemán moderno. El Estado hegeliano, esa decantación en la realidad del «macrosujeto colectivo» de la historia, como dice Pérez Díaz,[19] es una construcción más poderosa que el Leviatán de Hobbes en cuanto a concepción y contenido, y desgraciadamente también en cuanto a sus consecuencias históricas. El pensamiento político de Hegel, fruto de su idealis-

---

18. Michael Mann, *loc. cit.*, p. 208.
19. Víctor Pérez Díaz (1994), «Societat civil fi-de-secle, esfera pública i conversa cívica», en Jordi Nadal (ed.), *El món cap on anem*, Barcelona, Eumo Editorial, p. 149.

mo a ultranza, nos ha llegado a nuestra generación más bien en su versión materialista, vuelto patas arriba por Marx como materialismo histórico, y en la versión nacionalista de derechas. En la primera concepción, el macrosujeto colectivo es la clase trabajadora primero, el partido vanguardia del proletariado después y la democracia popular para cerrar el ciclo. En su versión de derechas, el macrosujeto colectivo se nos ha presentado como la «nación» (con destinos y misiones trascendentales) o el «pueblo» (siempre con la connotación implícita de pueblo escogido), cuyo servicio ha sido exigente hasta la locura. En ambos casos, aunque de muy distintas maneras, el concepto de solidaridad material, o por lo menos el de un vínculo muy fuerte y profundo que une objetivamente a los integrantes microscópicos del ente colectivo, aparece como una condición de posibilidad de la existencia y acción de un sujeto colectivo de la historia.

Capítulo 7

EL SIGLO XIX: LIBERALISMO Y SOCIALISMO

Las instituciones que enmarcan en la actualidad la vida social de los pueblos, y entre ellas las normas aceptadas que rigen —o deberían regir— la conducta política y social de los individuos y de los grupos organizados en el interior de la sociedad, así como la del Estado en sus múltiples campos de actuación, cristalizaron básicamente en el siglo XIX. Este conjunto de instituciones combinan en diferentes proporciones, según los países y los tiempos, normas de comportamiento deducidas tanto de la filosofía del liberalismo (como el respeto a la libertad individual, los muchos contratos sociales que apuntalan la convivencia social, los límites del poder del Estado, las relaciones entre éste y los individuos, etc.) como del socialismo (como la preocupación por justicia social, el sistema fiscal progresivo, la legislación laboral, etc.). Me refiero, claro está, a los marcos institucionales en que los hombres actúan; otra cosa son sus motivaciones para actuar así.

Las motivaciones para aceptar estas instituciones y comportarse de acuerdo a estas normas provienen de las fuentes elementales de los sentimientos, ideas e impulsos que mueven a los hombres: como son la religión, el espíritu de familia o de clan, el respeto a las tradiciones ancestrales, los condicionamientos de las culturas, cosas todas que no se formaron en el siglo XIX, sino que provienen de tiempos mucho más remotos.

El liberalismo como explicación
del comportamiento de los individuos
en el mercado

Todo lo que hemos estado viendo en las últimas páginas constituye la génesis del liberalismo, la constitución de un pensamiento político y el establecimiento de unas prácticas de gobierno que rompen con la tradición secular imperante por lo menos en el Occidente cristiano (pero sin duda también en la mayoría de las partes del mundo), de gobierno monárquico autoritario, cuando no despótico y dictatorial y de una estructura social fuertemente elitista y jerarquizada, en la que las mayorías pobres de los pueblos no tenían nada que decir ni hacer, aparte de protestar y rebelarse, ya que eran tratados como sujetos meramente pasivos de un juego de poder entre unos pocos privilegiados.

Un ingrediente esencial, como causa concomitante, ocasión privilegiada, circunstancia promotora o condición de posibilidad (todas estas cosas se han dicho), fue el conjunto de los cambios que se sucedieron en la forma de llevar a cabo la producción y el intercambio de bienes y servicios. En la producción, la influencia principal fue la tecnología, y en el intercambio, además de la tecnología (la de los transportes, por ejemplo), también el desarrollo de instrumentos económicos específicos diseñados para hacer las transacciones más eficientes y beneficiosas (letra de cambio, sistema bancario, sociedades anónimas, etc.). En una palabra, los fenómenos que llevaron a la revolución industrial en sus diversas fases.

La generalización de los intercambios, institucionalizada como «el mercado», se desarrolló prodigiosamente a lo largo del siglo XIX hasta convertirse en el fenómeno central de la sociedad. Este fenómeno fue la consecuencia de una intensificación de la división del trabajo, paradigmáticamente descrita por Adam Smith en *La riqueza de las naciones*, que hace al artesano, agricultor, profesional, etc., menos autosuficiente de lo que era en tiempos primitivos (cuando cada cual se producía las cosas, sin duda pocas, esenciales para vivir). En efecto, al concentrarse cada cual en la producción de lo suyo, se hace más dependiente de las producciones de los otros y por lo tanto se ve impulsado por la necesidad de intercambiar las cantidades de su producto que no consume él mismo por otras cosas que necesita y no produce, o de adquirir éstas por el dinero («el equivalente universal», según K. Marx), obtenido de la venta de sus excedentes ocasionales o producidos expresamente para el intercambio. Todo esto es muy conocido. Lo interesante es reflexionar sobre el tipo de comportamiento a que estas realidades económicas dan lugar.

Al perder la autosuficiencia, el hombre debería sentirse más referido a la habilidad, trabajo y voluntad de los otros, a la vez que siente que los otros dependen de la misma manera de él mismo. Esta interdependencia debiera llevar a que los hombres se sientan mucho más relacionados, unidos por intereses comunes, corresponsables del buen funcionamiento del mercado; en una palabra, más solidarios unos con otros, y se comporten de acuerdo a estos sentimientos. La experiencia ha mostrado, por ejemplo, en la colonización del Oeste americano, en Australia o en la Pampa, y en otras «fronteras» del colonialismo europeo, que la vida de los colonos, al verse obligados a ser autosuficientes en aquellas grandes latitudes, les hizo a la vez tremendamente individualistas (aunque muy solidarios con sus distantes vecinos, si no eran enemigos). En cambio, la división del trabajo en las sociedades urbanas y la necesidad de cooperación lleva lógicamente a los hombres a ser más dependientes unos de otros y por lo tanto más necesitados de la benevolencia, de la solidaridad de los demás.

En lugar de eso, la filosofía que se crea en torno al funcionamiento del mercado defiende el individualismo más que la solidaridad, la búsqueda del bien individual limitado a los intereses específicos de cada uno de los actores, en vez de la preocupación por el conjunto, como principio ordenador y regulador del mercado. Es decir, la búsqueda descarnada del interés propio se convierte en una norma de eficiencia, y en la medida en que la eficiencia económica es una condición para la felicidad de la sociedad, en una norma para el bien común. ¡La cuadratura del círculo es completa!

Esta manera de pensar se expresa en esa desconcertante afirmación de quien también es autor de la *Teoría de los sentimientos morales*, Adam Smith:

> Nosotros no esperamos nuestra comida de la benevolencia del carnicero, del cervecero ni del panadero, sino de su preocupación por el propio interés.[1]

Estas frases de Adam Smith, que se suelen citar e interpretar fuera del contexto del libro y de la obra del autor, son poco acertadas. Smith quería decir probablemente que el interés propio es también una fuerza que contribuye a una buena asignación de los recursos entre ocupaciones necesarias para la vida social (no se piense, por favor, en la diversidad de productos y complicación de los mercados actuales), pero en sí misma esta afirmación va en contra de los hechos básicos del mercado (aparte de que no parece concordar con lo que el autor ha expuesto sobre los sentimientos morales), porque la benevolencia juega un papel muy importante en las relaciones comerciales. Si no hay benevolencia u otras virtudes morales, algo diferente y opuesto al egoísmo y al interés propio, como consideración y respeto por los demás, que cree confianza mutua, las transacciones del mercado son ineficientes. La teoría reciente de los costes de transacción ha demostrado que el interés propio no es base sólida para un intercambio eficiente, sino que, al contrario, ocasiona problemas que se deben evitar incluyendo costosos incentivos en los «contratos imperfectos» que caracterizan las relaciones del mercado competitivo.[2]

> El pensamiento liberal clásico —nos dice el profesor Pérez Díaz— no fue individualista en el sentido habitual del término,

---

1. Adam Smith, 1776: *La riqueza de las naciones*, libro I, cap. 2.
2. Véase, por ejemplo, Oliver E. Williamson y Sidney G. Winter (eds.) (1993): *The Nature of the Firm. Origins, Evolution and Development*, Nueva York, Oxford University Press. «El segundo supuesto del comportamiento —dice Williamson— es que los agentes humanos están inclinados al oportunismo, que es una condición profunda de la búsqueda del interés propio que contempla el engaño. Las promesas de comportamiento responsable que no se respaldan con compromisos creíbles no serán cumplidas», p. 92.

ya que sus representantes consideraban a los individuos en un contexto vinculante de tradiciones e instituciones. Su «individualismo metodológico» no iba acompañado de una simple propuesta moral a favor de individuos libres para la consecución de su interés particular, sino de una propuesta moral más compleja a favor de una comunidad de individuos libres, la búsqueda del interés particular de los cuales estaba ligado en su misma raíz a la consideración de una entidad colectiva y un interés común.[3]

El comportamiento individualista-egoísta se justifica *a posteriori* como el comportamiento que mejor sirve a las necesidades de todos, porque, por un milagro de armonía preestablecida que sólo se afirma y no se prueba,[4] cada cual, siguiendo su interés particular, contribuye a conseguir en el mercado la mejor solución de todas las posibles (esto no lo afirma Smith, pero sí lo afirmarán, dentro de un modelo estrictamente definido,[5] sus seguidores). Los economistas liberales posteriores, como Stanley Jevons, Leon Walras, Von Wieser, Karl Menger (y sus seguidores del siglo XX) trasladan el comportamiento de los hombres en el mercado a su comportamiento general en la sociedad, impregnando de la maximización del interés propio las relaciones del individuo con el Estado, para luego absolutizarlo en la filosofía utilitarista (cuyo exponente principal es Benjamin Benthan) como el comportamiento humano por excelencia en lo social. Así nace el *homo oeconomicus*, el individuo que en todo lo que hace, en el mercado y fuera de él,[6] busca maximizar un bienestar que se puede medir adecuadamente con dinero, como beneficio o ingreso neto,

---

3. Víctor Pérez Díaz (1994): «Societat civil fi-de-segle, esfera pública i conversa civil», en Jordi Nadal (ed.), *El món cap on anem*, Barcelona, Eumo Editorial.

4. Basta leer el capítulo 7 del libro 1 de *La riqueza de las naciones* para ver cómo brilla por su ausencia la armonía establecida y cómo aparecen y actúan las manos visibles de los patrones en el mercado de trabajo.

5. El modelo de «equilibrio general» que supone una conducta estrictamente maximizadora de la utilidad en los consumidores y del beneficio en las empresas para llegar al óptimo de producción y consumo.

6. Porque todo se puede explicar en términos económicos: familia, divorcio, discriminación racial, como intenta, por ejemplo, el profesor de Chicago Gary Becker, premio Nobel de economía.

o maximizar una cosa más compleja que se llama utilidad, que está estrechamente relacionada con las cantidades y calidades de los productos y servicios que consume.

La racionalidad económica

Esto se presenta como un comportamiento racional en el sentido de que el individuo tiene que elegir, ya que los bienes no son libres y sin costes, en base a un cálculo o comparación de los medios de que dispone, su presupuesto, con los fines, es decir, las diversas combinaciones de bienes que con ese presupuesto puede comprar. El ser humano aparece como una imponente máquina de estimar utilidades marginales que el uso de su dinero le proporciona para determinar cuál es la combinación de bienes y servicios que le rinde la máxima utilidad. Una máquina de calcular que sólo sirve en el espacio cultural de Occidente, y que ni siquiera sirve para competir con los asiáticos, como muy bien señala el economista Mishio Morishima, que se mueve con gran facilidad en Occidente:[7]

> Los pueblos que poseen una filosofía o conjunto de princi-pios-guía diferentes del racionalismo de Europa occidental ya han adquirido las capacidades necesarias para operar el capita-lismo o economías sumamente productivas que ya pueden com-petir efectivamente con las capitalistas.[8]

Déjenme repetir lo que he defendido muchas veces en mis clases, conferencias y escritos: que los liberales de la segunda mitad del siglo XIX y los del XX, al tratar de llevar a unas conclusiones extremas algunas afirmaciones aisladas de los padres del liberalismo económico, como la que acabo de citar de Adam Smith, que siempre estaban acom-pañadas de otras que matizaban y modificaban las prime-ras, traicionaron el impulso moral de la escuela a que de-

7. El profesor Morishima fue profesor de economía muchos años en la London School of Economics.
8. Mishio Morishima (1992): «General Equilibrium Theory», en John D. Hay, *The Future of Economics*, Oxford, Blackwell, p. 72.

cían pertenecer. Porque abrazan con parcialidad principios que los grandes maestros siempre consideraron compensados y contrapesados por otros principios: el interés propio por un sentimiento de simpatía (Adam Smith), o un sentimiento de filantropía (Ricardo), o de altruismo (J. Stuart Mill), y otras consideraciones humanitarias. La verdad es que los grandes maestros de la economía política de los siglos XVIII y XIX han sido sometidos por una posteridad interesada a un conveniente proceso de reducción para servir a las necesidades ideológicas y de poder de los grandes negocios que las revoluciones industriales y la expansión imperialista del capitalismo dieron a luz.

La necesidad de ocultar bajo principios económicos en apariencia inapelables e incluso evidentes [9] una motivación basada simplemente en la avaricia y el deseo de poder, llevó a los liberales tardíos, que son los que nos dejaron en herencia su pensamiento, a mutilar la enseñanza de los clásicos y a tomar de ellos lo que les interesaba para construir una teoría que justificara cualquier tipo de inversión y uso del capital y la explotación irrestricta de los trabajadores industriales y de las poblaciones de las colonias.

Al margen de las teorías del liberalismo, la aplicación de la técnica a la producción en la industria, el prodigioso desarrollo de los transportes y las telecomunicaciones (sólo comparable a lo que estamos presenciando en la actualidad), la conquista militar de nuevas tierras y la apropiación de sus riquezas (reparto de África, por ejemplo), la apertura de nuevos y extensos mercados contribuyeron a generar riqueza y a ir mejorando poco a poco, a pesar de todas las injusticias, la suerte material de la humanidad, más de lo que había mejorado en los 5.000 últimos años. No cabe duda de que la avaricia, el deseo de riquezas y de poder son estímulos poderosos de la acción y la inventiva humana (y el que crea lo contrario, se equivoca). Con la organización económica liberal, en que se desmontó en

9. Con lo cual, ese sistema de principios económicos se convierte en una especie moderna de *ancilla teologiae* (sirvienta de la teología) como la filosofía escolástica, es decir, un sistema de principios que tiene un objetivo en otro campo distinto del que ella misma se mueve. Me refiero claro está a la teología construida en torno al dios dinero.

gran medida el control del Estado mercantilista sobre el comercio internacional y la economía, la iniciativa privada se desarrolla enormemente y adquiere un poder económico y social que antes sólo tenían los soberanos absolutos. Las empresas van creciendo, por expansión y absorción (o canibalismo), y se van convirtiendo en el factor decisivo de poder en las sociedades más desarrolladas, con las que los gobiernos se ven en la necesidad de pactar, y a veces de comprar su espacio político de acción con concesiones que van en detrimento del bien común, y en todo caso de los ciudadanos más pobres.

Y así como la protesta de la burguesía contra el poder absoluto de los monarcas dio origen al liberalismo y a las revoluciones burguesas, de manera simétrica la protesta y oposición al poder de las empresas capitalistas por parte de los obreros dio origen a un liberalismo social o socialismo, y eventualmente a las revoluciones sociales.

EL LIBERALISMO Y LOS SENTIMIENTOS MORALES

En los filósofos morales de todos los tiempos se ha planteado la cuestión de la relación con los demás seres humanos, y casi todos los autores han reconocido la existencia de un sentimiento innato de simpatía, un *fellow-feeling*, de inclinación y propensión a entender a los demás, a condolerse en sus penas y a tratar de ayudarlos. No se presentan nunca como sentimientos definitivos y suficientes como para compensar completamente los instintos de autoconservación, la búsqueda del propio interés, personal o familiar, o de la ambición y la avaricia. Los filósofos no se preguntan el origen metafísico o trascendente de estos sentimientos de simpatía, quién los implantó en el corazón de los hombres, y los suponen ahí como un dato primario de la introspección y de la observación del comportamiento humano.

Un buen ejemplo de ellos es la teoría de la simpatía de Adam Smith, filósofo moral y fundador de la economía política, cuyo testimonio nos puede servir aquí para varios fines. No sólo para mostrar esa razón de la solidaridad que sería una cualidad de la conciencia moral de las personas, sino también para poner en perspectiva la efectividad del comportamiento supuestamente paradigmático del hombre moderno, el del *homo oeconomicus*, hombre económico, dado a maximizar el beneficio, la utilidad o el interés propio.

> Por más egoísta que se suponga al hombre, hay evidentemente algunos principios en su naturaleza que le hacen interesarse en la suerte de los otros y que hacen su felicidad (de ellos) necesaria para él mismo, aunque no obtenga nada de eso más que la satisfacción de verlo. De esta naturaleza es la piedad y la compasión, la emoción que sentimos por la miseria de los demás, cuando o bien la vemos o bien nos la explican de una forma vívida. El que frecuentemente sintamos dolor por el dolor de los otros es una cuestión de hecho demasiado obvia como para requerir ejemplos para probarla; porque este sentimiento, como todas las demás pasiones de la naturaleza humana, no se limita en absoluto a los virtuosos y humanos, aunque ellos quizás lo sientan con la más exquisita sensibilidad. El mayor rufián, el más endurecido violador de las leyes de la humanidad, no deja de tener algo de este sentimiento.[10]

Así comienza el capítulo I, «On Sympathy» («Sobre la simpatía»), del libro *The Theory of Moral Sentiments (La teoría de los sentimientos morales)*, cuyo autor no es ni más ni menos que el tan traído y llevado Adam Smith, padre del liberalismo económico e inventor de la «mano invisible», un término irónico citado completamente fuera de contexto y de razón por los neoliberales modernos como autoridad para defender el individualismo y la falta de solidaridad que supuestamente son necesarias para conseguir una mayor eficiencia en la economía. Me pregunto qué dirán estos neoliberales ante el siguiente texto de Smith:

> El sentir mucho por los demás y menos por nosotros mismos, el frenar nuestro egoísmo y fomentar nuestras afecciones de benevolencia constituye la perfección de la naturaleza huma-

---

10.   Adam Smith, *The Theory of Moral Sentiments*, Oxford University Press, Oxford, 1979, p. 9.

na [...] Así como amar a nuestro prójimo como nos amamos a nosotros mismos es la gran ley del cristianismo, de la misma manera el gran precepto de la naturaleza es el amarnos a nosotros mismos, sólo como amamos a nuestro prójimo, o lo que viene a ser lo mismo, como nuestro prójimo es capaz de amarnos a nosotros.[11]

Estas palabras no parecen del mismo autor que escribía en *La riqueza de las naciones*: «Nosotros no esperamos nuestra comida de la benevolencia del carnicero, el cervecero o el panadero, sino de su preocupación por el propio interés.»[12] Texto que se cita continuamente para mostrar que la sociedad capitalista se mueve exclusivamente por el interés propio. Smith lo único que dice es que la división de trabajo se basa, entre otras cosas, en el interés propio de las personas y no solamente en los sentimientos de simpatía o solidaridad.

La verdad es que ha habido comentaristas que han aludido a un cambio en la manera de pensar de Smith entre los dos libros. También se ha dicho que en los *Sentimientos morales* investiga la parte simpática de la naturaleza humana y en *La riqueza de las naciones* investiga la parte egoísta. Pero Smith reconoce varios motivos no sólo para la acción en general, sino para las acciones virtuosas, uno de los cuales es el interés propio (*shel-interest*, o *self-love*, como se decía entonces), que habría que distinguir del egoísmo (*shelfisness*) que Smith repudia consistentemente. Sin embargo, para él, «la atención a nuestra propia felicidad y nuestros intereses» es un elemento necesario de la virtud.

Con estas disquisiciones no quiero decir que Smith defienda un concepto completo de solidaridad, como se explica y defiende en este libro. Pero le mencionamos con intención polémica para desvirtuar los argumentos de autoridad basados en él. Para Smith este sentimiento hacia

---

11.   Esta última frase complica un poco el texto, porque su comprensión cabal implica entender toda la teoría de Smith sobre la simpatía recíproca, como base de la moral, pero la incluyo para no mutilar el texto. La idea queda bastante clara con la comparación entre el orden de la naturaleza y el orden de la revelación.

12.   *The Wealth of Nations*, IV, II.

los demás es obviamente limitado y no bastaría para conseguir una sociedad más perfecta. Smith recomienda que el «espectador», es decir, cualquier persona que mire con simpatía los problemas de los demás, trate lo más que pueda de «ponerse en la situación del otro» y trate de hacer suyo el sufrimiento que afecta al otro. Esto, sin embargo, es muy difícil, y añade:

> La humanidad, aunque naturalmente simpática,[13] nunca concibe por lo que ha sucedido a otro el grado de pasión que naturalmente anima a la persona principalmente interesada. Este cambio imaginario de situación, sobre el que se basa su simpatía, no es más que momentáneo. El pensamiento de su propia seguridad, el pensamiento de que ellos en realidad no son los que sufren, continuamente interfiere con la simpatía...[14]

Y más adelante:

> Los hombres, aunque naturalmente simpáticos, sienten tan poco por aquellos otros con los que no tienen una conexión particular, en comparación de lo que sienten de sí mismos; la miseria de alguien que es meramente otro ser humano es de tan poca importancia para ellos en comparación de un pequeño inconveniente para ellos mismos...[15]

Donde describe el autor algunas de las razones de la falta de solidaridad en el mundo. Como resultado de esta dificultad de ponernos en el lugar de otro, sobre todo si las personas son extrañas y no entran en contacto inmediato con nosotros, concluye Smith que el buen funcionamiento de la sociedad, lo que llamaríamos la solidaridad política mínima, no puede basarse en esta simpatía únicamente. Todos los miembros de la familia humana necesitan, necesitamos, unos de otros porque somos vulnerables los unos a los otros. Pues bien,

---

13. Es decir, dotada de simpatía hacia los demás.
14. Adam Smith, *op. cit.*, p. 21.
15. *La teoría de los sentimientos morales, loc, cit.*, p. 86.

cuando la necesaria asistencia proviene recíprocamente del amor, de la gratitud, de la amistad y estima, la sociedad florece y es feliz.

Sin embargo, Smith opina que, aunque no hubiera ese mutuo amor y afecto entre los diferentes miembros de la sociedad, ésta, aunque se vuelva menos feliz y agradable, no necesariamente se disolverá. Permítaseme hacer una serie de citas que resumen el pensamiento de Adam Smith en este punto, crucial para el tema de la solidaridad.

> La sociedad puede subsistir entre diversos hombres, como entre diversos mercaderes, por un sentido de utilidad, sin ningún amor ni afecto mutuo, y aunque en ella ninguna persona tenga ninguna obligación, ni esté ligada por gratitud a ningún otro, se podría sostener por medio de un intercambio mercenario de buenos oficios de acuerdo a unos valores acordados.[16]
>
> La sociedad, sin embargo, no puede subsistir entre los que siempre están dispuestos a herir e injuriar el uno al otro.
>
> La beneficencia,[17] por lo tanto, es menos esencial para la existencia de la sociedad que la justicia. La sociedad puede subsistir, aunque no en el estado más cómodo, sin beneficencia, pero la prevalencia de la injusticia necesariamente la destruye.

Aquí resuena la opinión de Hume de que la utilidad pública es el único origen de la justicia. En resumen, Adam Smith describe en sus propios términos lo que considero un elemento esencial de la solidaridad, para decirnos que es difícil y que, aunque con ella la sociedad sería una maravilla *(society flourishes and is happy)*, dado las limitaciones de los seres humanos, no podemos esperar que las relaciones humanas se regulen por la solidaridad, sino que deben gobernarse por una justicia, que se apoya, es verdad, en un sentimiento o conciencia de culpabilidad, pero debe protegerse por medio de castigos impuestos por la ley. Pero en

---

16. *Loc. cit.*, p. 86.
17. En *La teoría...*, «beneficencia», *beneficence*, es un término equivalente a simpatía y benevolencia, que se entienden como sentimientos mutuos entre las personas normalmente virtuosas.

ninguna parte de la *Teoría de los sentimientos morales* aparece una alabanza o refrendo moral a un tipo de relaciones sociales basadas únicamente en el interés propio. Que sean posibles, y aceptables, siempre que sean justas, no quiere decir que sean deseables. El utilitarismo es pesimista sobre los seres humanos. Para Smith la sociedad capitalista, un sistema social basado en relaciones mercantiles, no corresponde a una sociedad virtuosa.

En mi libro sobre la solidaridad se entiende que ésta es una conjunción de la simpatía o benevolencia y de la justicia. Smith está diciendo que se puede concebir que exista una sociedad justa pero no solidaria, una sociedad justa basada totalmente en la justicia, que no será ni mucho menos su ideal, pero que no obstante puede existir sin que los miembros de la sociedad se ocupen realmente —sientan simpatía— unos de otros. Los que promovemos la solidaridad en las relaciones humanas sociales, internacionales, etc., pedimos también al «espectador», por usar los términos de Adam Smith, que se ponga en el lugar de una familia de Ruanda acosada por los hutus o por los tutsis, que se ponga en el lugar de una familia maya de Guatemala, en el lugar de un enfermo de sida en el gueto de Washington, y que habiendo conseguido algún grado de simpatía con esas personas, trabaje con otros espectadores igualmente «simpáticos» para cambiar las cosas. Una sociedad, un país, un mundo sin «simpatía», donde la convivencia esté basada únicamente en la utilidad y en la ley, necesariamente mínima, para velar que los intercambios sean aceptables por las dos partes, no es muy agradable. Además, sin un antemuro o barbacana que defienda la justicia, como es la función de la solidaridad, aquélla acaba sufriendo la corrosión del egoísmo, que lleva a abusos de la ley, y la sociedad quizás no se derrumbe, pero se hará invivible.

Kant: la solidaridad como imperativo categórico

La combinación de la justicia con los sentimientos de benevolencia serían también para Immanuel Kant la base éticamente perfecta para las relaciones sociales. La ética es para él una cuestión de la «razón práctica», por lo tanto de la voluntad; es una determinación de la voluntad libre que le impulsa a hacer el bien. En todo caso, al comportamiento ético no se llega a partir de un razonamiento *a posteriori*, basado en la experiencia histórica. Por eso dejémosle aquí, con sus imperativos categóricos, junto a los imperativos religiosos, los sentimientos innatos de benevolencia y las inclinaciones del alma a hacer el bien.

Comencemos por una descripción de los «imperativos morales»:

> Toma, por ejemplo, *No debes mentir*. Éste no es un imperativo condicionado, porque en tal caso significaría: si te perjudica el mentir, entonces no mientas. Pero el imperativo manda simple y categóricamente: no debes mentir y lo hace sin condiciones, o mejor, bajo una condición objetiva y necesaria. Es característico del imperativo moral que no determina un fin y la acción no está gobernada por un fin, sino que fluye del libre albedrío sin tener consideración de los fines. Los dictados de los imperativos morales son absolutos e independientes de los fines. Nuestra libre actuación o abstención tiene una bondad intrínseca cualquiera que sean los fines. Por eso la bondad moral le otorga al hombre una inmediata, íntima, absoluta dignidad moral.[18]

Con respecto a los demás, Kant reconoce dos clases de deberes, los de buena voluntad o benevolencia, y los debidos o de justicia; las acciones que resultan del primero son benevolentes y las del segundo son de rectitud y obligatorias. Como ya hemos dicho varias veces, nuestro concepto de solidaridad abarca los dos tipos de deberes, o de «imperativos», de benevolencia y de justicia. De los primeros hay dos clases: «la benevolencia por inclinación» y la «benevolencia de principios», la primera es fruto de la espontaneidad y la inclinación.

---

18.   Immanuel Kant, *Eine Vorlesung über Ethik*, cito de una traducción inglesa: *Lectures on Ethics*, Indianápolis, Hacket Publishing Co., p. 5.

El primer tipo de deberes no implica que tengamos una obligación [19] de amar a otros seres humanos.[20]

Esta afirmación literal de Kant asombrará al lector: ¿un deber sin obligación? ¿Cómo se come eso? Es que para él la «benevolencia por inclinación» no es un imperativo categórico, un imperativo objetivo y absoluto:

> El hacer bien por amor sale del corazón, hacer bien por obligación sale de los principios del entendimiento.

Esto es realmente lo importante para Kant:

> Si estamos obligados a tener en cuenta y respetar el bienestar de los demás, ¿en qué está basada esta obligación? En principios. El mundo es una arena en la cual la naturaleza ha provisto todo lo necesario para nuestro bienestar temporal, y nosotros somos los huéspedes de la naturaleza. Todos nosotros tenemos el mismo derecho a las cosas buenas que la naturaleza ha provisto. Pero estas cosas buenas no han sido distribuidas por Dios. Ha dejado a los hombres su distribución. Por lo tanto, cada uno de nosotros, al disfrutar las cosas buenas de la vida, tenemos que preocuparnos de la felicidad de los demás, porque tienen el mismo derecho y no se les puede privar de él. Como la providencia de Dios es universal, yo no puedo ser indiferente a la felicidad de los otros.[21]

Esta atención y preocupación por la felicidad de los demás, que es para Kant un componente de lo que sería nuestro concepto de solidaridad, es una obligación absoluta del hombre, un imperativo objetivo, sin condiciones, categórico, que se basa en el conocimiento del orden providencial de la creación. Esta «benevolencia de principios» es más sólida, y se debe inculcar más que la benevolencia por inclinación:

19. Aquí tenemos problemas con la traducción del alemán, porque empleamos la palabra «obligación» tanto para indicar un compromiso o vinculación de orden moral interior *(Verbundenheit)*, como para una estricta obligación legal *(Verflicht)*.
20. I. Kant, *loc. cit.*, p. 192.
21. *Ibidem*, p. 192.

No es esta ternura de corazón y temperamental lo que el moralista debe cultivar, sino la benevolencia de principios. Porque la primera está basada en la inclinación y en una necesidad natural que da origen a una conducta poco regular [...] El moralista tiene que sentar principios y recomendar e inculcar la benevolencia a partir de las obligaciones hacia los otros.

Esto en cuanto a los deberes de benevolencia. Los deberes de justicia se basan en los derechos de los demás:

> No son sus necesidades lo que cuenta en este contexto, sino sus derechos. No es cuestión de si mi prójimo está necesitado, es terriblemente pobre o lo contrario; si lo que está en juego es un derecho, tiene que satisfacerse. Este tipo de deberes está fundado en la regla general del derecho. El principal de estos deberes es el respetar los derechos de los otros [...] No hay nada más sagrado en el ancho mundo que los derechos de los demás; son inviolables [...] Tenemos un soberano divino y el más sagrado de los dones que nos ha hecho son los derechos del hombre.[22]

¡Era el grito de la época, el eco de la Revolución francesa y el anuncio de la nueva tierra! Para Kant, pues, los derechos del hombre son la salvaguardia, la fortaleza más segura para defender su dignidad y ordenar las relaciones personales y sociales:

> Si ninguno de nosotros hiciera nunca un acto de amor ni de caridad, sino solamente respetara inviolados los derechos de cada cual, no habría más miserias en el mundo, excepto la enfermedad y las desgracias que no provienen de la violación de los derechos de los demás. La más frecuente y fértil fuente de miseria humana no son los infortunios, sino la injusticia de los hombres.[23]

Sin embargo, el respeto a los derechos de los demás sería para Kant una condición necesaria para una relación perfecta con los demás, pero no suficiente, como tampoco lo es en nuestra opinión para la solidaridad. La rectitud y la benevolencia se tienen que dar la mano:

22.   I. Kant, *loc. cit.*, pp. 193-194.
23.   *Ibidem*, p. 194.

> La Providencia ha implantado en nuestros pechos el instinto de benevolencia para que sea la fuente de acciones por las que restituyamos lo que hemos adquirido injustamente.

La caridad es un requisito profundo de la justicia, no solamente el resultado de una inclinación o de una predisposición generosa natural. Ésta es una idea poderosa: la benevolencia hace posible reparar las injusticias que no se conocen, o dicho de otra manera, tenemos obligación de benevolencia porque tenemos derechos que no hemos respetado. La caridad o benevolencia es una manera providencial de reparar las injusticias formales que podamos haber cometido. Si queremos ser justos tenemos que ser generosos y benevolentes.

> Aunque estemos completamente en nuestro derecho, según la leyes del país y las reglas de nuestra estructura social, podemos, sin embargo, estar participando en la injusticia general, de manera que al dar ayuda a una persona desafortunada no le damos algo gratuito, sino sólo ayuda para devolverle aquello de lo cual la injusticia global de nuestro sistema le ha privado. Porque si nadie obtuviera para sí mismo una porción mayor de la riqueza del mundo que su vecino, no habría pobres ni ricos. Por lo tanto, incluso la caridad es un acto de deber que nos imponen los derechos de los otros y la deuda que les debemos.[24]

Fácil será de ver al lector que en *La solidaridad. Guardián de mi hermano* defendemos una tesis muy semejante.

Argumentos contra la solidaridad. Herbert Spencer

El progreso técnico llevó consigo el crecimiento de la riqueza de unos pocos, los triunfadores del sistema. Esta riqueza se interpretó en su día como una muestra de predestinación (calvinismo), y posteriormente como una prueba de la superioridad de algunas personas en el proceso de la evolución humana. La crítica más razonada a la solidaridad que hemos encontrado proviene de un abigarrado con-

24. *Ibidem*, p. 194.

glomerado de ideas conectadas con la teoría de la evolución de las especies del zoólogo Charles Darwin (1809-1882), y en particular con el postulado de la adaptación de los más capacitados para la sobrevivencia de la especie. En el contexto de la evolución de las especies en general, el bien de la especie, su sobrevivencia en particular, depende de que se hagan más fuertes los elementos o individuos más capaces de sobrevivir y se acepte como una necesidad de la sobrevivencia de la especie la decadencia y desaparición de los individuos menos capacitados, menos preparados para la lucha por la vida, cualquiera que sea la forma que tome esta lucha.[25]

A este nivel de generalidad está claro que si se prolongara artificialmente (si esto fuera posible) la vida de los individuos menos capacitados con menoscabo del reforzamiento de los más dotados, la sobrevivencia de la especie estaría en juego, y en principio una sobreprotección de los más débiles podría llevar a la desaparición de la especie. Estos principios de la evolución de las especies, cuya verificación sigue siendo muy parcial y generalmente limitada a experimentos con las especies inferiores de vida, se aplican a la vida humana tal y como se desarrolla en la complejidad y elaboración de la segunda mitad del siglo XIX para sacar conclusiones y lecciones para la política social.

Vamos a analizar en detalle el pensamiento de Herbert Spencer (1820-1903), el darwinista social más connotado, cuya vida abarcó toda la época victoriana en Inglaterra, y fue contemporáneo de David Ricardo, Stuart Mill, Marx y Engels, Augusto Compte, etc., por citar a algunos nombres familiares. Su obra, sin embargo, no ha sido muy analizada por los autores modernos, en parte porque a mediados del siglo XX se la consideraba completamente trasnochada. Salvador Giner, por ejemplo, no le dedica más de una página en su imprescindible *Historia del pensamiento social*.[26] Sin embargo, Spencer es, en nuestra opinión, el autor que

---

25. Sin embargo, se ha demostrado que en las formaciones de genes, en las familias de genes hay fenómeno de «solidaridad», en el sentido de que algunos genes actúan de una forma no maximizante del espacio propio de vida para facilitar y potenciar la vida de otros genes de la misma formación.

26. Salvador Giner, 1994: *Historia del pensamiento social*, pp. 588-589.

más claramente ha expresado el «darwinismo social» y sus consecuencias para la política social de nuestro tiempo, y ha ofrecido las críticas más sistemáticas y rigurosas contra la solidaridad. Su importancia estriba en que su pensamiento, aunque trasnochado en los años sesenta, ha pasado con algunas florituras y disfraces a lo que se llama hoy en día «neoliberalismo» y que sigue influyendo en el pensamiento político en Estados Unidos, como se verá en los ejemplos que adjunto, y en general en la derecha conservadora de todos los países del mundo. No es pura casualidad que sus obras se hayan reimpreso y difundido en Estados Unidos en 1982, en plena era de Reagan, por los fanáticos del fundamentalismo neoliberal.

En primer lugar, su horizonte interpretativo es el marco de la evolución. Su referencia a la teoría de la evolución de las especies de Darwin es explícita y enfática:

> El proceso de «selección natural», como Mr. Darwin lo llama, cooperando con una tendencia a la variación y a heredar las variaciones, ha mostrado que es la causa principal (aunque creo que no lo única causa) de esa evolución por medio de la cual todos los seres vivientes, empezando con los inferiores y diferenciándose y volviéndose a diferenciar a media que evolucionan, han alcanzado los actuales grados de organización y adaptación a sus modos de vida. Esta verdad se ha hecho tan familiar que se debe una excusa por mencionarla. Y, sin embargo, aunque parezca extraño decirlo, ahora que esta verdad está reconocida por la gente más culta, ahora que la acción benéfica de la sobrevivencia de los mejor dotados les ha impresionado tanto que, mucho más que la gente en otros tiempos, se podría esperar que dudaran mucho antes de estorbar su acción, ahora, mucho más que nunca antes en la historia del mundo, *están haciendo todo lo que pueden para promover la sobrevivencia de los menos dotados*.[27]

---

27. Herbert Spencer, 1982 (reedición): *The Man versus the State*, Liberty Classics, Indianápolis. Este libro comprende una colección de artículos publicados en 1882 bajo el título mencionado. En la moderna edición de 1982 se le han añadido otra colección de ensayos: «Seis Ensayos sobre Gobierno, Sociedad y Libertad», escritos en un período que va desde 1843 a 1891. Se ha dado el título de la primera colección al conjunto. Nuestras citas son todas de la edición de 1982.

Le aseguro al lector que he hecho grandes esfuerzos de traducción, pero el estilo de Spencer es retórico y retorcido. Estas últimas palabras que he subrayado por mi cuenta resumen todos los argumentos de Spencer contra la solidaridad: promueve la sobrevivencia de los menos dotados. Ahora veremos cómo y con qué consecuencias. La validez de la aplicación de las leyes evolutivas de los animales a la evolución de la sociedad la funda en la comparación del cuerpo social, las sociedades humanas, con los de los animales y sus especies, en un extenso artículo, «The Social Organism» («El organismo social»), publicado en 1860, que amplió once años más tarde en otro ensayo, «Specialized Administration» («Administración especializada»). Otra premisa de la argumentación de Spencer es su «nihilismo administrativo» o minimalismo en las funciones que atribuye al gobierno:

> ¿Para qué quieren un gobierno? No para regular el comercio, no para educar al pueblo, no para enseñar religión; no para administrar caridad; no para hacer carreteras y ferrocarriles; sino simplemente para defender los derechos naturales del hombre: proteger a la persona y la propiedad, evitar las agresiones de los poderosos contra los débiles, en una palabra, administrar justicia. Éste es el oficio natural y original de un gobierno. No se organizó para hacer menos; no tendría que permitírsele hacer más.[28]

De esta delimitación tan restrictiva de la acción del gobierno deriva Spencer otro argumento, además del que saca de la evolución, para rechazar tajantemente lo que llamaríamos solidaridad oficial o pública, es decir, aquella ejercida por los órganos especializados del Estado para tal efecto. Veremos, sin embargo, que de aquí no sale un rechazo de la solidaridad individual o privada de unos hombres con otros, que admite en principio, aunque también la deja muy malparada con el argumento de la sobrevivencia de los más dotados. Afirma que en la evolución de los seres superiores, éstos se deben adaptar a dos regíme-

---

28. H. Spencer, *loc cit.*, p. 187.

nes de vida sucesivos, un régimen familiar y un régimen adulto, que corresponden a dos fases de la evolución de un animal, incluyendo al hombre.

El régimen familiar se aplica cuando el individuo es pequeño, inseguro y no puede defenderse por sí mismo, y el otro cuando ese individuo se hace adulto. El régimen paternal asegura la sobrevivencia del individuo cuando éste no puede valerse por sí solo; el régimen «adulto» es el que, para la vida social de los hombres, crea el Estado —por medio de su misión única de crear un marco jurídico adecuado— y asegura la posibilidad de sobrevivencia de los adultos que estén capacitados para ella. Éste sería el orden correcto de la evolución, según Spencer. Los individuos adultos de cualquier especie zoológica se tienen que valer por sí mismos, y si no pueden, si tienen que seguir bajo el régimen familiar, cuidados por sus padres, a unos costes (en términos del bienestar de grupo) más o menos importantes para éstos, sería bueno para la especie que desaparezcan, o por lo menos que no se reproduzcan.

Dicho lo cual, Spencer se apresura a decir que sólo se refiere a la sociedad en «su capacidad corporativa», en nuestra terminología: la solidaridad pública, y que no pretende excluir o condenar «la ayuda dada a los inferiores por los superiores en sus capacidades individuales». ¡Gracias, generoso! Ahora, enseguida, vamos a ver qué lindezas reserva para la solidaridad individual, pero antes quisiera profundizar en los presuntos daños que la ayuda paternalista causa en los menos dotados. Los daños serían los que se siguen del principio evolutivo de que un órgano que no se ejercita se atrofia. Los pobres no aprenderían nunca a adaptarse a las circunstancias, a la lucha por la vida, sino que se abandonarían, dejarían de luchar esperando explícita o vagamente que el Estado o alguien diferente venga en su socorro.

> Establece una ley para ayudar a los pobres que haga innecesarios la previsión y el renunciamiento, pon en marcha un sistema de educación nacional para quitarles esa responsabilidad para con sus hijos, establece una Iglesia nacional para cuidar de sus necesidades religiosas, haz leyes para la preservación de su

salud, para que se puedan descuidar de sí mismos, haz todo esto, y los pobres podrán entonces prescindir de las facultades que el Todopoderoso les ha dado. Todos los poderosos resortes para la acción que tiene el ser humano quedarán destruidos, la agudeza de la inteligencia no se necesita, la fuerza de los sentimientos morales no se requiere nunca, los elevados poderes de la mente se quedan sin su ejercicio natural y un gradual deterioro del carácter se sigue necesariamente. Quita la exigencia del esfuerzo y asegurarás la inactividad. Induce inactividad y pronto cosecharás degradación.[29]

Esta elocuente diatriba contra la solidaridad que se encarna en el Estado del bienestar, como lo conocemos nosotros, se podría resumir en la frase: «El Estado del bienestar perjudica a la gente.» Esto, por más fuerte que nos parezca, es un discurso sumamente actual que se oye cada vez con más intensidad entre los ricos y quienes los defienden y abogan por sus intereses. De ahí deduce el autor que el no ayudar a los pobres y necesitados es una forma de ayuda que tiene resultados a largo plazo.

Remachando su argumento *a contrario*, Spencer exalta la superioridad del *self-made man*, el hombre que se hace a sí mismo, que se levanta sin ayuda de nadie supuestamente, como le encuentra sobre todo en Norteamérica, donde el señor Spencer pasó un tiempo (1882) invitado por el rey del acero, Andrew Carnegie, quien se encargó de difundir sus ideas por América. Contraponiendo dos estilos pedagógicos, comenta:

El maestro moderno, sin embargo, induce a su alumno a resolver sus dificultades él mismo, y cree que al hacerlo lo está preparando para enfrentar las dificultades, que, cuando salga al mundo, no habrá nadie para sacarlo de ellas, y halla la confirmación de esta creencia en el hecho de que una gran parte de los hombres con más éxito son hechos a sí mismos *(self-made).*[30]

Del *self-made man*, Spencer pasa a los países:

29.   H. Spencer, *loc. cit.*, pp. 251-256.
30.   *Loc. cit.*, p. 196.

Deja que alguien, después de observar la rápida evolución que ha habido en Inglaterra, donde la gente ha recibido en general poca ayuda de los gobiernos, o mejor, después de contemplar el progreso sin paralelo de Estados Unidos, que está poblado de hombres hechos a sí mismos o descendientes de ellos, vaya luego al continente y considere el lento avance de las cosas, y lo más lento que sería si no hubiera sido por las empresas inglesas...

Por lo que podemos leer, pasa del *self-made man* a las razas: la autosuficiente *(self-dependent)* y las gobernadas paternalmente, para caer en el consabido credo racista de la superioridad de la raza anglosajona, que es, por otra parte, una parada obligada, cuando no el final lógico, del camino que recorren los argumentos contra la solidaridad.

Spencer ha resaltado, como todos los economistas de su época que criticaron las «Poor Laws» (leyes para protección de los pobres) en Inglaterra, el *moral hazard* que lleva consigo la beneficencia, la ayuda y la solidaridad. No se puede negar la posibilidad de un peligro, intrínseco al sistema, de que algunos individuos prefieran vivir de la ayuda, como modo ordinario de vida, antes que ayudarse a sí mismos a mejorar su situación. Ya hablaremos de esto más tarde. Tampoco queremos ligar nuestros argumentos sobre la solidaridad histórica con la lógica y la performación de las «Poor Laws». Ésta es una cuestión histórica que no nos afecta hoy en día. Nosotros tenemos otros esquemas de solidaridad, los que sin duda tenemos que explicar bien. Baste decir que la pobreza no es una situación agradable y nadie en sus cabales la puede preferir a una vida mejor, aunque para eso se tenga que esforzar. La inmensísima mayoría de los pobres viven en la pobreza porque no pueden vivir de otra manera, y sólo algunos descabalados viven como si prefirieran la pobreza. Pero el argumento de Spencer no concibe el *moral hazard* como una ocurrencia ocasional y minoritaria, sino como la situación normal.[31]

31. «Moral hazard», literalmente «peligro moral», que se usa mucho modernamente en economía, proviene del mundo de los seguros y se refiere a una situación que se produce cuando una persona o empresa, al suscribir una póliza de seguros, toman menos precauciones que cuando no estaban asegura-

El implacable Spencer también se opone a que se ayude a los más débiles, porque quitan recursos de la sociedad que debieran ir a los más fuertes, a los trabajadores y empresarios, que son los que hacen avanzar la economía y parece que también a la especie humana. En un análisis económico del funcionamiento de las «Poor Laws», llega a la conclusión de que la ayuda no proviene de los ricos, sino de los trabajadores, «the deserving poor» (los pobres que lo merecen), a quien enfrenta en una lucha de clases, como si dijéramos (ciertamente en una lucha de intereses), con los menesterosos, «the undeserving poor» (los pobres que no lo merecen) y que son los que reciben ayuda oficial.

Vengamos por fin a ver que dice Spencer de la solidaridad ejercida por las personas —y no por el Estado— en su capacidad individual. No se opone a ella. Al contrario, cree que en los hombres existen sentimientos de simpatía hacia sus semejantes *(fellow-feelings)* y que estos sentimientos los llevan a ayudar a los demás. De hecho, dice Spencer en uno de sus ensayos, la solidaridad y beneficencia privada ha hecho más que el Estado para aliviar la suerte de los destituidos.

> Mira a tu alrededor a la multitud de instituciones para mitigar los males de los hombres, hospitales, dispensarios, casas de limosna y semejantes, las varias sociedades de beneficencia, de mendicidad *(sic)*, etc., de las cuales sólo Londres tiene entre seis y setecientas [...] tenemos instituciones de caridad que suplementan, quizás excesivamente, las establecidas por la ley, y que cualquiera que sea el daño que han hecho junto con el bien, han hecho menos daño que las organizaciones de las «Poor Laws» hicieron antes de que fueran reformadas en 1834.[32]

---

das para evitar la eventualidad o siniestro contra los que se han asegurado. Este comportamiento provoca una mayor incidencia de los «siniestros», como dicen los de los seguros, y de costes para la empresa aseguradora. Las pólizas de seguros tienen que llevar «incentivos» para evitar el «moral hazard». Se toma en general cuando el hecho de sentirse seguro o cubierto en algunos aspectos contra los costes de la vida nos hace cambiar el comportamiento hacia un comportamiento menos cuidadoso o más irresponsable.

32. *Loc. cit.*, pp. 323-324.

Otro problema que tiene la solidaridad individual es de nuevo el peligro de favorecer indebidamente a los menos dotados, perpetuando así su situación, con lo desventajoso que eso resulta para la sociedad. «No hay duda —afirma Spencer— de que se hace daño cuando se muestra simpatía sin tener en cuenta los resultados finales.» Con lo cual introduce un marco de actuación de la «simpatía» individual sumamente restringido, que estaría definido por lo que él llama «la relación entre constitución y condiciones» y que vendría a ser la necesidad de adaptarse a las nuevas condiciones de la economía y la sociedad, es decir, a obedecer las leyes de la evolución tal y como él las interpreta.

Me imagino que el lector, como yo mismo cuando esto escribo, ya se está cansando de tanta cerrazón de mente y de esta consistente dureza de corazón. La actualidad del discurso de Herbert Spencer es asombrosa. Sobre todo lo es en Estados Unidos, donde no hace mucho (24 de marzo de 1995) se aprobaba en la Casa de Representantes una reforma del sistema de bienestar, que quita muchas prestaciones a los pobres, como los subsidios a las madres solteras sin empleo, un tema que ha levantado muchas discusiones.[33] Pues bien, para argumentar a favor de la reforma, un representante, John L. Mica, un millonario republicano de Florida, mostró un cartel, traído sin duda de su tierra, que rezaba: «No alimentar a los caimanes», lo que era un buen consejo, según el representante, porque «si se les deja en su estado natural, se saben cuidar ellos mismos». Era su manera de argumentar que no se debe dar un subsidio a las madres solteras sin trabajo porque

---

33. Se trata de la «Aid to Families with Dependent Children», AFDC (ayuda a las familias con hijos menores), un programa que en la actualidad envía cheques a cerca de 14 millones de mujeres solteras con hijos pequeños. A estas mujeres se les restringe el beneficio a cinco años y tendrán que trabajar antes de dos años de comenzar a recibir el subsidio. Las madres menores de 18 años no recibirán nada; ni se aumentará el beneficio a aquellas madres que tengan otro hijo cuando están recibiendo subsidios. Los emigrantes ilegales no recibirán ni éste ni ningún tipo de beneficio, fuera de la atención médica de emergencia. «House Endorses Overhaul of Welfare System», *The Washington Post*, sábado, 25 de marzo de 1995, p. 1, col. 1.

una alimentación no natural y el cuidado artificial crea dependencia. La gente no son caimanes pero yo afirmo que con nuestros actuales subsidios de un sistema de bienestar que no exige trabajar hemos perturbado el orden natural.

Los subsidios, argumentan los republicanos, fomentan la maternidad precoz y fuera del matrimonio y desacostumbran al trabajo, etc., así en general y para todos los casos, ¡sin matices! ¿No se oyen aquí los ecos de los argumentos que Herber Spencer hizo en estas mismas tierras hace cien años? Se ve que para atacar la solidaridad entre los hombres no hay argumentos nuevos. Prácticamente todo está dicho en el siglo XIX, pero en el siglo XX se revisten de modernidad o incluso de posmodernidad para ver si cuelan.

Capítulo 8

EL SOCIALISMO COMO ALTERNATIVA

El pensamiento sobre la solidaridad humana, aunque latente en muchas otras concepciones de la naturaleza del ser humano y de la sociedad, se hizo manifiesto en el socialismo. Mucho se ha escrito sobre el socialismo y sobre las variadas clases de socialismo que ha habido y continúa habiendo en la historia. Aquí, que estamos simplificando la marcha intelectual de la humanidad hacia el pensamiento solidario, nos vamos a referir a lo más genérico y común a todas las familias socialistas: la protesta contra la desigualdad en las condiciones materiales de vida de los miembros de una misma sociedad humana, contra la miseria y la pobreza generada en un imponente proceso de creación de riqueza, contra el abuso del poder económico de unos privilegiados, contra, en fin, lo que se dio en llamar la injusticia social.

Desigualdades en la suerte de los hombres siempre las ha habido. Desde los tiempos de los hijos de Adán y Eva, probablemente, Caín y Abel ya tuvieron problemas de desigualdad. Los hombres somos iguales en principio, pero enseguida nos diferenciamos en cuanto a ganar dinero. Digamos desde ahora que la igualdad absoluta en cuanto a la suerte material es imposible e irrealizable, y si alguien la estableciere, con un gran despliegue de fuerza, en un momento dado de la historia, en el momento siguiente se producirían desigualdades. Lo mismo podemos decir de las protestas de los pobres porque siempre las hubo en la historia, aunque la mayor parte de las veces no están adecuadamente recogidas en los anales de la historia, y sólo a veces por medio de grietas en el muro de la censura institucional de siglos pasados se ven atisbos de protesta y rebelión, por lo que podemos inferir que fue un evento frecuente en la historia de la humanidad, pero que fue debidamente reprimido y no pasó a engrosar los sucesos de primera página por así decir.

Pero en el siglo XIX las condiciones de la desigualdad y de la consiguiente protesta cambian radicalmente. Por de pronto se producen en un contexto completamente diferente: físico, mental y moral. En el siglo XIX se ponen en contacto de una manera nueva la riqueza de los pocos y la miseria de la mayoría. En las grandes urbes industriales se juntaron los extremos. Cuando la mayoría de la población era rural, como sucede todavía en muchos países subdesarrollados, la pobreza y miseria quedaban confinadas en el campo, lejos de la vista de los burgueses y de las personas ilustradas y cultas, que podrían saber que existían o no, pero que no sentían su presencia como un dedo acusador que les reprochaba su egoísmo, su oportunismo y su dureza de corazón. Y desde luego, la pobreza siempre quedaba lejos de los más ricos, con lo cual las comparaciones siempre resultaban menos impactantes.

Para los pobres esta proximidad que produce la urbanización también tiene grandes consecuencias, porque ahora ven y experimentan cómo viven los ricos, qué posibilidades existen de llevar una buena vida o de tener comodidad y lujo. Tienen de esta manera un término de comparación para medir su desgracia. La urbanización acelerada, que trajo consigo la revolución industrial, cambió las cosas drásticamente; la urbanización arrojó en la misma ciudad, por lo tanto en un espacio geográfico relativamente reducido, a pobres destituidos ante las puertas de los ricos, no reyes ni nobles, sino personas privadas con las riquezas más grandes que había visto la historia. Este contacto se produjo, nótese bien, en el contexto de un Estado democrático, en el marco de la democracia liberal que pregonaba y decía defender la igualdad de todos los hombres al nacer y ante la ley. El contraste de las terribles realidades sociales y el género de vida de las mayorías con el relativamente nuevo discurso democrático no podía menos de ser explosivo.

La injusticia social

En efecto, los hombres imbuidos de la ideología liberal de Hobbes, Locke, Rousseau, Montesquieu, se preguntaron que cómo era posible que el pacto que habían hecho al formar una sociedad civil para defenderse unos a otros y salvaguardar la dignidad y los derechos básicos de la persona humana, los derechos proclamados por las Revoluciones inglesa, norteamericana y francesa, en feliz sucesión, se había convertido en un estatuto de opresión, no por fuerza de monarcas absolutos ni por gobiernos totalitarios o por Iglesias intolerantes, sino por capitales desalmados que sólo buscaban aumentar su valor permanentemente a costa de los trabajadores (y de otros capitalistas menos fuertes). El socialismo aparece como respuesta a la injusticia en este contexto; es decir, en el contexto de la democracia liberal (en otro contexto sería impensable) y como la tercera fase de un magno proceso de emancipación que comenzó en la Edad Moderna.

La primera fase fue, naturalmente, el Humanismo renacentista y la Reforma (con algunos elementos de la Contrarreforma) [1] contra la intransigencia de la Iglesia que dominaba las conciencias y el desarrollo de las mentes en nombre de la verdad revelada. La segunda fase fue la emancipación del hombre del absolutismo de los monarcas y del Estado mercantilista con el liberalismo político y económico. Y la tercera la emancipación del hombre del dominio del capital, de este poder económico condicionador y manipulador de la vida social y las vidas individuales, fase que comenzó con los movimientos socialistas y que, obviamente, está todavía por concluir.

El análisis básico de todos los socialismos, desde Platón a Lenin, pasando por filósofos sociales como Wyclef, Thomas More y Rousseau, insiste en poner la raíz de los problemas de los obreros industriales y de los otros trabajadores pobres (en los servicios y en la agricultura) en la propiedad privada de los medios de producción, que efecti-

---

1.   Aquí me refiero, naturalmente, a los juristas del derecho natural, Vitoria, Suárez, De Soto, Mariana, etc.

vamente privaba a los más de las enormes riquezas que se estaban creando por medio de ellos en esos tiempos. El concepto de propiedad privada de los medios de producción es una matización temprana a la oposición a toda propiedad del tipo y dimensiones que sea. La mayor parte de los socialistas no se oponían a la propiedad de los frutos del trabajo, del agricultor, por ejemplo, del artesano, profesional, clérigo, etc., cuya significación social estaba fuera de una sospecha fundada, simplemente porque no se la consideraba capaz —a la pequeña propiedad, digo— de causar unos problemas sociales tan graves como los que ocurrían en el siglo XIX.

Las medidas radicales de algunos gobiernos socialistas del siglo posterior —es decir, el nuestro— para eliminar toda propiedad privada, estuvieron más bien dictadas por razones de control político y uniformidad de intereses y comportamientos con respecto al Estado[2] que por razones económicas estructurales. A la larga, esta supresión total de la propiedad privada, al quitar los estímulos al trabajo y a la innovación económica (empresarial) en una esfera que normalmente es muy grande en toda economía, puede haber sido uno de los errores más crasos de los que cometió el socialismo real, porque eso no lo exigía el socialismo teórico.

Las propuestas socialistas para superar la situación de opresión social y explotación económica por un capital absolutista son básicamente iguales: en principio, anteponer el bien común de la sociedad al bien particular de unos intereses minoritarios, en lo que no se apartan mucho de las ideas de Locke, Rousseau y los seguidores del «pacto social». Porque todos estos autores entienden que la gente depone su independencia y autonomía, y su derecho natural a hacer justicia por su mano a quien daña sus intereses para entrar en una situación mejor. Si la situación resulta peor, los pactos tienen que ser revisados, o la teoría misma del pacto como explicación de la constitución de una socie-

---

2.   Y superar el comportamiento individualista a que esta propiedad da lugar e impulsa. Pero ¿era esto realmente necesario para construir una sociedad socialista?

dad civil democrática. En este caso, hace falta una nueva teoría sobre la formación de la sociedad burguesa y una nueva estrategia para cambiar la sociedad.

Las familias socialistas se dividen y se pelean en la forma de llevar a término este cambio. Las recetas son múltiples, los socialistas de salón discuten sin parar, las corrientes que Marx tacharía de «socialismo utópico» proliferan. Algo se hace, pero la oposición del capital que moviliza todos los poderes de este mundo —Estado, policía, ejército, medios de comunicación, academia, etc.—, para exaltar la nueva situación de dominio capitalista, sus méritos y bondades y resaltar los vicios y sinrazones de sus detractores, resulta contundente. A mediados del siglo XIX, apabullado por el poder del capital y de sus ideólogos, el socialismo necesita una estrategia de lucha, necesita una conceptualización de la situación en que se encuentran los desposeídos que sea capaz de movilizarlos, de motivarlos con esperanzas fundadas de triunfo, a oponerse al capital en el terreno en que ambos, capital y trabajo, se encuentran, es decir, en el lugar del trabajo, en la fábrica.[3]

La lucha de clases

El concepto de clase, como una unidad de personas que se hallan en las mismas condiciones laborales y de vida y con un destino histórico determinado por la marcha general de la historia, es el instrumento de lucha más eficaz del socialismo. El concepto de la lucha de clases como motor de la historia contemporánea («La historia de todas las sociedades que han existido hasta ahora es la historia de la lucha de clase», *Manifiesto Comunista, I*),[4] que combina los análisis económicos de los clásicos de la economía política británica (Adam Smith y David Ricardo) con las disquisiciones de Hegel sobre el sujeto de la Historia,[5] es, en mi

---

3.   Es decir, les hace falta una estrategia que sea capaz también de organizar la resistencia y el ataque a las posiciones enemigas.
4.   Cito de un texto en inglés: Karl Marx, *The Communist Manifesto*, editado por Frederic Bender (1988), Norton, Nueva York.
5.   Sólo que, como ya hemos dicho, Hegel es puesto al revés y del idealismo se pasa al materialismo.

modesta opinión, la construcción genial de un estratega de la revolución social, preocupado por buscar un marco conceptual y una fuente de motivaciones para una lucha reivindicativa, o revolucionaria, si se prefiere. ¿Qué mejor incentivo que asegurar a los que luchan por la justicia social que su victoria era una especie de necesidad y que estaba prácticamente lograda, si ellos se dedicaban con mente y corazón a la revolución social?

Quizás la afirmación de que «la lucha de clases es el motor de la historia» no sea una hipótesis explicativa de la historia posterior de la clase obrera y de sus relaciones con la burguesía, de cómo se iba a desarrollar el sistema capitalista y de las posibilidades del socialismo, pero nadie me negará que resultó ser una manera prodigiosa de levantar los ánimos de las masas proletarias en sus luchas, frecuentemente de tono menor, por pequeñas conquistas, pero emprendidas con el convencimiento de su triunfo. Leemos en el *Manifiesto comunista*:

> Pero con el desarrollo de la industria el proletariado no sólo aumenta en número, sino que se concentra en grandes masas, su fuerza aumenta y siente más esa fuerza. Los varios intereses y condiciones de vida dentro de las filas del proletariado se van igualando más y más, en la medida en que la máquina borra todas las distinciones en el trabajo, y casi en todas partes reduce los salarios a los mismos niveles [...] los choques entre los obreros individuales y los burgueses individuales tienen más y más el carácter de choques entre dos clases [...] El verdadero fruto de sus batallas no está en resultados inmediatos, sino en la unión siempre creciente de los trabajadores. Esta unión es favorecida por la mejora de los medios de comunicación que ha creado la industria moderna y que coloca a los obreros de diferentes localidades en contacto unos con otros. Era precisamente este contacto lo que se necesitaba para centralizar las numerosas luchas locales, todas del mismo carácter, en una lucha nacional entre clases. Pero toda lucha de clases es una lucha política.[6]

¡Cuántas victorias de la clase obrera no se deben a esta concepción! ¡Cuántos logros no se han ido acumulando en

---

6. Karl Marx, el *Manifiesto comunista*, parte I, *op. cit.*, p. 63.

tantas jornadas de lucha en el último siglo! La sucesión de victorias de la clase obrera es tan grande que compensa y sobrepasa con mucho el fracaso del socialismo real, que es otro fenómeno histórico, ligado a ella de alguna manera, pero ciertamente distinto a la lucha de clases en el contexto de un sistema capitalista y una democracia burguesa. Este último tipo de acción no ha sido todavía condenado por la historia moderna y, en mi opinión, aún tiene mucho que hacer, si se sabe adaptar a las situaciones reales y no a los prototipos de situación, aunque se haya acabado el comunismo bolchevique y las llamadas democracias populares. La lucha obrera y popular dentro del sistema democrático capitalista es diferente del «socialismo real», es separable conceptualmente, y de hecho ha estado separada durante mucho tiempo y en muchos lugares, del fenómeno del socialismo de Estado.

A veces se citan con pompa las condiciones de vida que han alcanzado los obreros en los países industrializados como una refutación del socialismo y en particular de las teorías de Marx sobre la suerte futura de la clase obrera, cuando esas condiciones son la mejor confirmación de que su estrategia de lucha fue acertada, y por lo tanto los conceptos en que se basa fueron eficaces. Y aunque lo que sucedió fuera una refutación de los aspectos formalmente predictivos de sus proposiciones,[7] es, sin embargo, una prueba de que sus análisis fueron eficaces para cambiar las cosas. El mundo sin Karl Marx hubiera sido muy distinto —en muchos aspectos—, sin duda, pero para los trabajadores de una manera esencial.

---

7. Habría que demostrar que, hablando de la lucha de clases, Marx quiso hacer predicciones formales sobre el futuro de la clase obrera, como hizo de otras cosas (en algunas acertó y en otras no), para que se pueda hablar de refutaciones formales. El discurso de Marx en estos temas podría haber seguido el siguiente esquema: si sucede A y B, sucederá C, sabiendo que si la clase obrera lo tomaba en serio —como él esperaba— no se produciría ni A ni B. En cuyo caso Marx no ha tratado de *predecir C, sino de evitar que se produzca C*. Probablemente, sus afirmaciones fueron palabras eficaces, o «predicciones autodestructivas», que contribuyeron expresamente a cambiar la situación y a hacer que no se cumplieran los aspectos de predicción que pudiera haber en sus proposiciones.

La solidaridad socialista

En lo que toca a nuestra búsqueda sobre el concepto de solidaridad, la concepción de la clase social y de la lucha de clases fue un hito importante, porque la clase, el pertenecer a una clase, no es solamente una condición objetiva externa a la persona, como pertenecer a un club, sino que la pertenencia a su clase constituye una parte integrante de la conciencia del proletario. Todas las clases sociales tienen conciencia de clase, saben a qué grupo social pertenecen, cuáles son sus intereses en los diversos asuntos y situaciones de la vida, quiénes son sus enemigos y quiénes sus amigos y aliados, qué acciones privadas y públicas les pueden perjudicar. Una consecuencia importante de esta conciencia es el sentimiento de que se está unido por la pertenencia a la clase a los demás seres humanos que la componen —así como se siente distinto y separado de los que no la componen— y con la obligación de comportarse con ellos de una manera especial. Es decir, la conciencia de clase da origen a la solidaridad de clase, cuyo grito de guerra es el acorde final del *Manifiesto comunista*: «¡Proletarios de todos los pueblos, uníos!»

La solidaridad de clase ha sido y es, en su intensidad y sinceridad —en la mayoría de los casos, aunque no siempre—, un ejemplo para la solidaridad humana general, pero resulta, como ya dijimos en su momento, una solidaridad partidaria y parcializante, limitada en sus alcances y por lo tanto imperfecta en su naturaleza. No es ésta la solidaridad universal, sin discriminaciones, aunque ciertamente parcial en favor de los más necesitados y de los oprimidos, que hemos expuesto y defendido en el libro anterior, *La Solidardad. Guardián de mi hermano*.

Además, la experiencia histórica ha mostrado que la conciencia de clase era un soporte frágil de la solidaridad tanto de clase como de la universal. Los intereses de los trabajadores, de todos los niveles y de todas las localidades, no fueron convergiendo hacia un común denominador, que sería el interés de la clase como tal, como dice el *Manifiesto comunista*. Al contrario, a medida que se diferencia y se complica la estructura organizativa de la producción industrial, y se crean nuevas especializaciones, niveles de trabajo, rangos de salarios, y a medida que surgen diferencias regionales en el progreso de la industria y de la economía, los intereses de los proletarios parecen que se diversifican también y consecuentemente se agrava más bien la tendencia negativa que menciona el *Manifiesto*:

> La organización de los proletarios en una clase, y consecuentemente en un partido político, está constantemente siendo retrasada por las disputas entre los mismos trabajadores (*Manifiesto comunista*, p. 63).

La solidaridad de clase no fue suficiente para frenar los sentimientos nacionalistas que llevaron a la guerra mundial de 1914 en que se mataron proletarios de los dos lados. De hecho, los grandes partidos socialistas de la época, el Partido Socialdemócrata alemán, SPD, y el Labour Party británico, apoyaron la guerra, aunque también —hay que decirlo—, los más acérrimos enemigos de la guerra en ambos países eran miembros de los respectivos partidos socialistas.[8] Y mucho menos fue suficiente la solidaridad de clase para frenar las guerras coloniales donde los proletarios de las potencias coloniales industriales lucharon contra pueblos primitivos para po-nerlos en un estado de retraso social y opresión política, probablemente mucho mayor que el de ellos.

Tampoco fue un freno la solidaridad socialista a las tendencias proteccionistas en el comercio y finanzas internacionales. La solidaridad de clase no se puso en juego para impedir el enriquecimiento de las metrópolis, y las mejoras económicas del proletariado local, a costa de las colonias. La solidaridad de clase fue —y lo sigue siendo, cuando se produce— un destello fugaz de la verdadera solidaridad humana, un destello que se extingue pronto por no tener el soporte y el alimento necesario para enfrentar los problemas de la sociedad internacional.

---

8.   Hobsbwam, Eric (1994): *The Age of Extremes*, Pantheon Books, Nueva York, pp. 58-59, quien explica las secesiones que se produjeron dentro de estos partidos: el Independent Labour Party en Inglaterra y el Independiente Partido Socialista (USPD) de Alemania, precisamente por oposición a la guerra.

Con todo, no se puede negar que en los desaparecidos, y a desaparecer, regímenes del socialismo real, se desarrolló mucho más que en las sociedades capitalistas el sentimiento general de solidaridad. Eso era quizás hacer de la necesidad virtud, porque al no funcionar los mercados y los mecanismos de progreso individual (¡aunque no faltaron sustitutos en la esfera política, claro!), los ciudadanos estaban de hecho, y se sentían, más referidos los unos a los otros que en nuestras sociedades. Y siendo todas las cosas empresas colectivas, se estimulaban mucho por medio de la educación, la ideología y los mecanismos de control social los comportamientos solidarios, de respeto a los demás, de atención especial a los más débiles y necesitados. Sin embargo, este tipo de solidaridad ciudadana, inducida por regímenes totalitarios, tampoco parece haber resistido bien los embates del interés propio y el oportunismo económico, una vez que se levantó la veda de caza del beneficio privado en estos países. Éstos nos han enseñado aspectos importantes de la solidaridad política, pero la suya no era la verdadera o, por lo menos, no estaba basada en principios fuertes y enraizados, en lo que se llamaba el hombre socialista. ¡Tenemos que seguir construyendo formas más resistentes de solidaridad!

La infuencia del socialismo

El socialismo lanzó un reto a la burguesía, que ésta, de alguna manera, ha tratado de aceptar y responder, creando condiciones de mayor justicia e igualdad en las sociedades modernas. ¿Qué hubiera pasado con el progreso social de trabajadores y campesinos si el movimiento socialista no hubiera existido? Aparte de que probablemente hubiera aparecido de otras maneras diferentes de las que conocemos y en otras partes del mundo, se puede especular que el progreso no hubiera sido tan rápido ni se hubiera llegado tan lejos.

El reto del socialismo y los valores morales y humanos que promovió y desplegó, el sentimiento y la práctica de la solidaridad entre ellos, fueron recogidos por otras instituciones, además de por los gobiernos democráticos. Las Iglesias, en primer lugar, las universidades, las instancias formadoras de opinión cualquiera que fueran se vieron ante la necesidad de definirse ante los hechos que los socialistas denunciaban. Y así vemos a las Iglesias, a lo largo del siglo XX, tomando posiciones morales y creando doctrina para sus fieles sobre el trabajo humano, los salarios, los derechos de los trabajadores, la previsión social, el seguro de enfermedad y otras instituciones del Estado del bienestar. En cierto sentido, el socialismo contagió a todas las instituciones burguesas, que fueron aceptando las «cosas buenas» del socialismo en la medida en que esta aceptación podía hacerse sin comprometer las ganancias y el poder del gran capital.

Hoy en día casi no se puede hablar del socialismo, por el desprestigio que acarreó para la idea misma de socialismo el fracaso del socialismo real en sus diferentes versiones comunistas, dictatoriales y no democráticas. Para algunos, hoy socialismo es sinónimo de falta de libertad, cuando fue precisamente la falta de libertad de extensas capas de trabajadores lo que hizo brotar los movimientos de protesta social y socialistas. El socialismo es por naturaleza histórica —la naturaleza aparece al nacimiento— sinónimo de libertad, solidaridad, fraternidad, dominio del espíritu sobre la materia, desprendimiento de los bienes materiales y fomento de la igualdad.

Para otros, el socialismo es sinónimo de ineficiencia económica, del mal uso de recursos escasos, de un sistema que produce sistemáticamente decisiones económicas erróneas porque no están sometidas al contraste del mercado libre. El modelo de socialismo que se implantó históricamente con una economía centralmente planificada reúne probablemente todas estas limitaciones y defectos. Pero la idea de socialismo no está necesariamente vinculada con una economía planificada por unos cuantos burócratas. De hecho, en Marx no se encuentra referencia alguna a una economía planificada centralmente como el *modo de producción socialista*.[9] Finalmente, para algunos el socialismo

---

9. Marx se refiere sólo en los términos más generales, y en raras ocasiones, al modo de producción socialista, como uno de «productores asociados» o como el «autogobierno de los productores», y en los *Grundrisse* como una economía, como ya se había comenzado a desarrollar bajo el capitalismo, en la cual

y el militarismo se identifican, cuando en realidad los primeros socialistas fueron pacifistas, antimilitaristas y lucharon para que no se produjera, por ejemplo, la primera guerra mundial, aunque las pasiones nacionalistas y las presiones económicas y sociales les dejaron de lado.

Por lo tanto, si se entiende bien el socialismo, es fácil ver la traición y caricatura de este elevado ideal que supuso el comunismo de Lenin, Stalin y sus sucesores bolcheviques, y el de los regímenes imitadores y sus subalternos. Pocas veces se ha dado en la historia una traición más grande a un ideal más elevado. Y, sin embargo, hace falta que algunos de los elementos de la utopía socialista se realicen entre nosotros y en nuestro tiempo, porque son esenciales para una democracia plena. Un poco de auténtico socialismo no nos vendría mal.

La democracia real requiere más igualdad, porque resulta incompatible con las enormes diferencias en el ingreso y en la riqueza que existen en nuestras economías de mercado. La democracia exige no sólo más igualdad de oportunidades para desempeñarse en la vida, sino también mayor igualdad en los resultados que cada persona llega efectivamente a obtener. La democracia real no debería tolerar la extrema, absoluta pobreza en que viven algunos miembros de nuestras sociedades ricas. Como no debiera tolerar la destitución y miseria de la mayoría de los habitantes en los países pobres. Quizás la necesidad de mantener viva nuestra democracia nos lleve algún día a reinventar el socialismo.

«la creación de riqueza real depende del estado general de la ciencia y del progreso de la tecnología», y en la cual «el conocimiento de la sociedad en general se ha convertido en una fuerza directamente productiva». Bottomore, Tom (1990), *The socialist economy. Theory and practice*, Harvester & Wheatsheaf, Londres, p. 22.

CAPÍTULO 9

EL SIGLO XX: LA FURIA DE LEVIATÁN
Y LA AFIRMACIÓN
DE LOS DERECHOS HUMANOS

Un siglo terrible y prodigioso

En el siglo XX el poder destructivo de la técnica creada por la mente humana ha llegado a su máxima expresión, hasta el borde de la autodestrucción del planeta. En este camino hasta el absurdo de la autoinmolación, el mundo ha llevado a cabo las guerras y las matanzas más horribles de la historia de la humanidad. ¡Nunca se había matado a tanta gente en tan poco tiempo! Las visiones de Hobbes sobre el hombre dejado a sus instintos se hicieron realidad de una forma tan exquisitamente salvaje y cruel que una mente del siglo XVII no hubiera tenido la capacidad de imaginar. Ahora que está acabado, podemos mirar atrás y pronunciar la sentencia: *El siglo XX ha sido un siglo terrible y prodigioso*. Ha sido terrible por toda la destrucción y horror que se ha causado ante los asombrados ojos de los hombres, espectadores ahora, en virtud de la técnica de las comunicaciones, de los sucesos más remotos.

Y ha sido prodigioso porque en medio de tanta ruina y tanta crueldad, la creatividad e ingenio de la mente humana ha elevado el dominio sobre la naturaleza a niveles insospechados hace apenas medio siglo; y, lo que es más importante, la conciencia de la dignidad y valor de la persona humana se ha desarrollado como nunca antes, y han sido reconocidos en documentos solemnes y en declaraciones formales que los gobiernos y los grupos sociales no pueden ignorar impunemente, por lo menos sin incurrir en el rechazo de la opinión mundial, cuando no en condenas formales con las consecuentes sanciones. La emergencia de la mujer, sus conquistas en el reconocimiento debido a su verdadero papel en la sociedad es otro de los prodigios del siglo xx. Finalmente, como rey de la creación, el hombre ha comenzado a hacerse cargo de sus responsabilidades para conservar y potenciar la naturaleza y todos los elementos que componen el hábitat humano. En dos palabras, el siglo xx ha sido, como titula Eric Hobsbawm en su último libro sobre la historia mundial de 1914 a 1991, *La edad de los extremos*.[1]

> Nuestro siglo demuestra que la victoria de los ideales de justicia e igualdad es siempre efímera, pero también que, si conseguimos preservar la libertad, siempre podemos empezar de nuevo [...] No hay razón para la desesperanza, aun en las situaciones más desesperadas.[2]

Parece que la conciencia humana sale esclarecida y reforzada de los grandes desastres a que se ha visto sometida en este siglo. La reflexión sobre lo que se ha hecho o lo que se ha sufrido parece que devuelve a la conciencia humana los buenos sentimientos y le hace sentir la necesidad de reconciliación y de reforzar los principios de la convivencia. Por eso vemos que de la segunda guerra mundial salió, por así decir, la Carta de las Naciones Unidas, con su nuevo intento (el anterior fue el de la Sociedad de Naciones)[3] de desterrar el recurso a las armas como medio de resolver conflictos internacionales, lo que había sido normal en la historia de la humanidad desde Caín y Abel. De la guerra salió también la independencia de las colonias, otra situación que desde siempre en la historia había sido nor-

---

1. Eric Hobsbawm (1994), *The Age of Extremes. A History of the World, 1914-1991*, Nueva York, Pantheon.

2. Leo Valiani, historiador italiano, citado por Eric Hobsbawm, *loc. cit.*, p. 2.

3. «La Sociedad de Naciones se estableció como parte de los acuerdos de paz —de 1918— y resultó casi un fracaso total, excepto como un instrumento para recoger estadísticas. Sin embargo, en sus comienzos solucionó una o dos disputas menores, que no ponían en serio peligro la paz mundial [...] La negación de Estados Unidos a entrar en la Sociedad de Naciones le privó de cualquier significado real.» Eric Hobsbawm, *loc. cit.*, p. 34.

mal, que los poderosos sometieran y se aprovecharan de las riquezas de los más débiles (como ejemplifica el largo fenómeno de la esclavitud).

Después de la segunda guerra mundial y en general después de todas la guerras «éticas» (aquellas en que los principios éticos o jurídicos tiñen fuertemente los intereses materiales, económicos o políticos de los beligerantes), se tiende a hacer explícitos y a exaltar como principios sagrados los motivos que se dieron para movilizar a las poblaciones para la lucha: la defensa de los derechos humanos, la defensa de la democracia, de la soberanía y libertad de los pueblos, la abolición de la esclavitud, la independencia nacional, defender la religión y las tradiciones, etc.[4] En los documentos como la Declaración de los Derechos Humanos de la Carta de las Naciones Unidas se expresa una convicción de que el hombre, tan menospreciado en su esencia más íntima por Hitler, por Stalin, por las bombas atómicas y las incendiarias, por las dictaduras militares con sus escuadrones de la muerte, por las hordas de fanáticos, por los terroristas de todos los signos, por los narcotraficantes y mercaderes de armas, etc., ese hombre tan machacado tiene una dignidad y posee unos derechos que todos y en todo caso deben respetar.

ARTÍCULO 1. Todos los seres humanos nacen libres e iguales en dignidad y derechos y, dotados como están de razón y conciencia, deben comportarse fraternalmente los unos con los otros.

ARTÍCULO 2.

1. Toda persona tiene todos los derechos y libertades proclamados en esta Declaración, sin distinción alguna de raza, color, sexo, idioma, religión, opinión política o de cualquier otra índole, origen nacional o social, posición económica, nacimiento o cualquier otra condición.

---

4. «La defensa de los legítimos intereses de Estados Unidos», a causa de la cual el ejército de este país ha tomado frecuentemente las armas en el período de la guerra fría, no dio motivo para la proclamación de ningún principio sagrado de convivencia. Rara vez se presentaron —porque ciertamente no lo eran— guerras éticas en el sentido del texto. La guerra de Vietnam es, por supuesto, el ejemplo por excelencia.

2.   Además, no se hará distinción alguna fundada en la condición política, jurídica o internacional del país o territorio de cuya jurisdicción depende una persona, etc.[5]

Se cumplirán o no estos principios —muchos regímenes dictatoriales, y algunos democráticos, los han pisado de nuevo en los últimos cincuenta años—, pero la dignidad del hombre ha salido del crisol de la persecución y del fuego de la injusticia más fuerte y brillante que nunca antes en la historia. Y de esta manera se establece un patrón de respuesta a partir del final de la segunda guerra mundial para reafirmar los derechos humanos y los derechos civiles cada vez que se conculcan, en gran parte por las luchas pacíficas de personas carismáticas, como Mahatma Ghandi, Luther King, monseñor Romero, Aquino —mártires éstos de la humanidad— y otros que continúan voceando en defensa de estos derechos (Desmond Tutu, Rigoberta Menchú, etc.). Cada vez que se conculcan los derechos de los hombres o surgen situaciones que lesionan la dignidad de las personas (guerras civiles, migraciones, períodos de hambre, etc.), los hechos ya no se pueden ocultar ni ser ignorados, la sociedad humana se ha sensibilizado a su incidencia y además posee los medios técnicos para conocerlos en el momento. Con cada nueva persecución de personas y grupos sociales aumenta la protesta y con cada protesta la afirmación de los derechos pisoteados. En esta atmósfera de vigilancia y control de las violaciones de los derechos humanos han surgido los movimientos de solidaridad del siglo XX; cada vez más especializados y eficaces han orquestado las reacciones más radicales contra dictadores, contra el uso indiscriminado de la «razón de Estado», contra el racismo —a pesar de que sigue haciendo de la suyas—, contra la discriminación de las mujeres, y, en general, contra las enormes y crecientes diferencias en las oportunidades de llevar una vida digna, significativa y plena que tenemos los hombres de este siglo.

5.   Asamblea General de las Naciones Unidas. *Declaración Universal de los Derechos Humanos*, 10 de diciembre de 1948.

El contacto social de los hombres se ha hecho más estrecho por obra de las comunicaciones y los transportes, los pactos políticos y los movimientos de integración económica (la mundialización de la producción industrial y la integración de los mercados financieros, sobre todo). En este mundo tan integrado, donde todos nos conocemos cada vez más —aunque nos falta mucho para conocernos mejor— ciertas acciones clave parecen tener una incidencia en más personas, más lugares, algunos bien remotos de donde se producen estas acciones. Eso nos obliga a aceptar cada vez más la responsabilidad global de las acciones locales y a hacernos cargo de las situaciones globales, una de las cuales es la enorme diferencia en los estilos y posibilidades de vida de diversos pueblos y regiones, y otra, no menos importante, las guerras locales y acciones violentas que siguen cobrándose víctimas inocentes en muchos lugares del mundo. La mayor integración de las diversas comunidades humanas, al menos en algunas esferas clave de interacción social (como son el cine y la televisión, los mercados financieros, el tráfico de armas y drogas) plantea nuevos retos a la solidaridad humana. Será instructivo seguir paso a paso cómo se ha articulado esta respuesta de la humanidad a los horrores de la segunda guerra mundial. Empecemos por la esfera de lo económico y social.

El Estado del bienestar

Un fenómeno notable y nuevo de la posguerra es el establecimiento del «Estado del bienestar» en muchos países del mundo. Es la forma histórica más avanzada de la solidaridad política, es decir, de la solidaridad objetivada y materializada en unas instituciones y políticas determinadas. Por «Estado del bienestar» se suele entender el conjunto de políticas públicas que aseguran: transferencias de ingresos a jubilados, accidentados, viudas y huérfanos, desempleados y los temporalmente alejados del trabajo; la educación a todos los niveles; el acceso a los cuidados de salud; la vivienda y los alimentos. La filosofía que justifica estas instituciones se contiene en el Informe Beveridge de

1942, que sirvió de base para las leyes que establecieron el sistema en Gran Bretaña entre 1944-1948. La leyes británicas fueron la inspiración de los sistemas establecidos durante la posguerra en Europa continental, y algunos dominios del imperio (National Insurance Act, 1946). En una conferencia que lord Beveridge dio en la Universidad de Madrid en 1945, decía:

> Todas estas políticas [de naturaleza económica] tienden a lograr que la situación general de la sociedad sea satisfactoria, pero su realización deja expuesto, no obstante, al individuo a los riesgos inherentes a los cambios de la ocupación, enfermedades, accidentes, pérdida de capacidad para el trabajo por razón de edad, fallecimiento e interrupción o fin de sus ganancias, así como a los gastos extraordinarios ocasionados por nacimientos, matrimonio o muerte. Dejar que los individuos afronten solos estos riesgos puede significar que un número considerable de ellos no consigan cubrirlos satisfactoriamente y sufran escasez. El Plan de Seguridad Social [...] pretende librar de la penuria a todos los ciudadanos, garantizándoles el derecho a una renta, suficiente para atender a su subsistencia cuando sus ingresos se interrumpan o cesen.[6]

A finales de los años sesenta, el Estado del bienestar se había establecido en todos los países de Europa occidental, aunque sus niveles de cobertura eran diferentes en los países miembros según sus niveles de desarrollo. Pero los principios expuestos por lord Beveridge pasaron a la categoría de los principios indiscutibles. Sólo en los últimos años, bajo la presión ideológica de gobiernos muy conservadores, como el de la señora Thatcher y el presidente Reagan, y ante la amenaza de futuros problemas de financiamiento, estos principios se han comenzado a cuestionar.

A pesar de todo, la Seguridad Social es una conquista de los ciudadanos a la que no van a renunciar fácilmente, por más argumentos que se hagan. El verdadero problema de la Seguridad Social, como una estructura firme de soli-

---

6. *Conferencias del profesor Sir William Beveridge, K.C.B.*, 1946, Facultad de Ciencias Políticas y Económicas, Madrid.

daridad, es la poca cobertura que tiene, ya que son una minoría de países los que ofrecen una cobertura universal, es decir, a todos los ciudadanos. Aunque la Seguridad Social existe en casi todos los países del mundo, su cobertura es mínima en los más pobres, donde sólo se benefician los pocos trabajadores permanentes del sector público y de la industria. En ellos su cobertura no pasa del 20 % de la población. Todavía hay mucha tarea por delante para implantar las estructuras solidarias en el mundo. Lo malo ahora es que a estos países con sistemas públicos débiles se les están proponiendo sistema privados de Seguridad Social que necesariamente van a ser duales, con la exclusión de los pobres y de los más vulnerables, que son quienes más lo necesitan.

El papel del Estado en la economía

La introducción del Estado del bienestar es parte —importantísima— de los nuevos procesos que cambiaron fundamentalmente el concepto sobre el papel del Estado en la economía. La Gran Depresión de los años treinta sirvió para convencer a los gobernantes de que los mercados, dejados a sí mismos y a su propia dinámica, son incapaces de salir de una crisis tan generalizada y profunda como aquélla. En circunstancias semejantes es necesario hacer lo que de hecho hicieron todos los gobiernos de la época, intervenir en la economía. Desde Franklin D. Roosevelt en Estados Unidos hasta Adolf Hitler en Alemania, todos recurrieron a las obras públicas, a fortalecer los ejércitos e incluso al establecimiento de empresas públicas como el gran proyecto hidráulico del Tennesse Valley Authority,[7] que fue considerado por los conservadores como un proyecto típicamente socialista, «un proyecto de planificación social» lo llaman algunos autores.

De la gran crisis y de la gran guerra que le siguió salieron los gobernantes con un pensamiento mucho más soli-

---

7. La TVA no sólo producía energía eléctrica, sino que construyó presas, produjo y vendió fertilizantes, reforestó el área y estableció parques de recreo.

dario y con planes para una mayor cooperación entre clases y entre naciones. Es típico del sentimiento de la época el famoso discurso del presidente Roosevelt sobre «las cuatro libertades» al Congreso en enero de 1941, después de haber sido elegido presidente por tercera vez.

No hay nada misterioso acerca de los fundamentos de una democracia sana y fuerte. Las cosas esenciales que esperan los ciudadanos de sus sistemas económico y político son simples. A saber: igualdad de oportunidades para los jóvenes y los otros. Empleos para quienes pueden trabajar. Seguridad para quienes la necesitan. El final de los privilegios especiales para unos pocos. La preservación de las libertades civiles para todos. El disfrute de los resultados del progreso científico en un amplio y constante surgir de los niveles de vida.

Éstas son las cosas simples y básicas que no se deben perder de vista en el remolino e increíble complejidad del mundo moderno [...] En días futuros que tratamos de hacer seguros, aspiramos a un mundo fundado sobre cuatro libertades humanas esenciales: la primera es la libertad de palabra y de expresión en todas las partes del mundo. La segunda es la libertad de toda persona de adorar a Dios como crea necesario, en todas partes del mundo. La tercera es la libertad de necesidades, que traducido a términos mundanos significa acuerdos económicos que aseguren a todos los pueblos una vida sana en tiempo de paz, en todas las partes del mundo. La cuarta es libertad del miedo que se traduce por una reducción general de armamentos hasta tal punto y tan drásticamente que ninguna nación sea capaz de actos de agresión física contra su vecino en todas partes del mundo.[8]

Con cuánta sinceridad se aplicarían estos magníficos criterios dentro y fuera de Estados Unidos es algo que la historia habría de mostrar como muy discutible, pero no cabe duda que los hombres aprendieron algo de las catástrofes económica y política de aquellos años (1929–1945). Son años muy importantes para el crecimiento e implantación del pensamiento solidario en el mundo.

8. Diane Ravitch y Abigail Thernstrom, 1992, *The Democracy Reader*, Nueva York, Harper & Collins, p. 182.

Las políticas sociales

Después de la segunda guerra mundial todos los gobiernos occidentales —para diferenciarlos de los de economía planificada— llevaron a cabo políticas activas de empleo y gestión de la demanda. En el Reino Unido se publicó en 1944 un «papel blanco» *(Employment Policy)* que consagraba como política oficial del Estado las teorías de John Maynard Keynes, economista de Cambridge, que había influido mucho en el sistema de financiamiento y conducción económica de la guerra. En su *Teoría general sobre el dinero, el interés y el empleo*, después de criticar agriamente las políticas económicas que hicieron posible y agudizaron la Gran Depresión, propone una nueva visión sobre el papel de las autoridades en la gestión de la demanda global (consumo e inversión), con gasto público deficitario y bajos tipos de interés cuando hiciera falta, para llevar la economía a un equilibrio que asegurara el empleo de todas las personas capaces y dispuestas a trabajar.

Hasta que una creciente movilidad de capitales en los años setenta lo hizo inviable, todos los gobiernos no socialistas —y los socialistas en cierta media también— fueron keynesianos en la gestión de sus economías. Lo que implica que se reconocía al Estado un papel activo y decisivo en la economía, como nunca antes se le había reconocido. Hasta que llegó la crisis, que podemos hacer coincidir con el final del sistema de tipos de cambio fijos establecido en Bretton Woods (1944), no se discutía que el gobierno tuviera como una de sus principales prioridades «mantener un nivel de empleo alto y estable». En los cien años anteriores, con una economía capitalista de mercado nunca había habido una intervención tan importante de las autoridades en la determinación de las cantidades macroeconómicas fundamentales. Fue además una intervención con mucho éxito que propició la reconstrucción de Europa, el rechazo al fortalecimiento de las economías socialistas, y la puesta en marcha de economías subdesarrolladas, muchas de las cuales, la de España entre otras, llegaron a niveles de industrialización y de desarrollo altos y a condiciones de vida muy aceptables. Con el keynesianismo, la solidaridad había tomado carta de ciudadanía en la economía de mercado. Luego habría de retroceder ante actitudes más liberales, es decir, contrarias a la intervención estatal, pero el impacto de todos esos años no se puede eliminar fácilmente.

Si tomamos el volumen relativo del gasto público como índice de la intervención del Estado en la economía, veremos que desde 1945 hasta 1990 ha ido aumentando sin cesar en los países industrializados de un promedio del 15 % del PIB a un 40 % del PIB. En el Reino Unido y Estados Unidos, a pesar de las revoluciones conservadoras de las Thatcher y los Reagan, el gasto público, aunque a niveles relativamente más modestos que en Suecia, Holanda, Francia o Alemania, también muestra una tendencia creciente en el período que reseñamos. Estos gastos crecientes fueron financiados con ingresos también crecientes provenientes de los impuestos. Los ciudadanos de estos países han ido pagando cada vez más a la hacienda pública sin grandes protestas ni oposición. En algunos países, como en Suecia, se ha podido llegar a niveles excesivos que desmotivan el trabajo y la inversión en el país. Pero en general todos están de acuerdo en que las prestaciones que reciben de las administraciones públicas tienen que ser financiadas por impuestos. Lo que quiere decir que existen unas estructuras de solidaridad tan fuertes que, por más que se las critique, ataque o se amenace con sustituirlas por otras menos solidarias, no pueden ser desbancadas porque tienen todo el apoyo de la población, que las considera como una conquista irrenunciable. Sobre esto he tratado extensamente en mi libro *La solidaridad* y no quiero repetirme aquí.

La descolonización

Después de una guerra en la que los aliados habían luchado oficialmente por los derechos individuales de todas las personas, los que tenían colonias no podían seguir manteniendo la dominación colonial. En 1947, la India, que había aportado tantos soldados y tantos muertos a la causa de los aliados, vio reconocida su independencia por el Reino Unido. Su independencia fue el disparo de salida para una carrera de las colonias en busca de su independencia. Como resultado de este proceso, el mundo se pobló de nuevos países, con su sede en las Naciones Unidas, donde llegaron con el tiempo a ser mayoría, su himno, su bandera, su ejército y sus problemas propios.

Las descolonización se hizo, sin embargo, en el contexto de la guerra fría, la oposición ideológica y militar entre el capitalismo y el comunismo. Los nuevos países se encontraron ante la necesidad impuesta de definirse por uno de los dos bandos en litigio y adoptar uno de los dos modelos, violentando en ellos su tendencia natural a hacer las cosas a su manera, combinando, en la medida de lo posible, lo bueno de los dos sistemas con algo de planificación, como demandaba la situación caótica y subdesarrollada de sus nacientes economías, y con una buena medida de mercado, como les era congruente para mantener la democracia y conveniente para conservar las buenas relaciones con las potencias coloniales de las que seguían dependiendo estructuralmente.

La guerra fría supuso un gran retroceso en la marcha hacia la solidaridad, que se había iniciado al final de la segunda guerra mundial, porque impuso en las relaciones internacionales la lógica de «quien no está conmigo está contra mí», lo que violentó muchos procesos y llevó a muchas injusticias y crímenes en nombre de la defensa de la civilización occidental. El deseo de cooperación internacional que pareció surgir al final de la guerra se tuvo que someter al imperativo de los intereses geoestratégicos de las partes. El golpe de Estado de Checoslovaquia en 1948, la guerra civil en Grecia, la represión de la «primavera de Praga» y las revueltas populares en Budapest en los cincuenta son sucesos en el pasivo del campo socialista.

Algunos ejemplos en el otro campo son los golpes de Estado contra Arbenz, en Guatemala (1954), con la reconocida intervención de la CIA, como lo había sido en el golpe de Irán, en agosto de 1953, contra el primer ministro Muhammad Mossadegh, por no olvidar el de Pinochet contra el presidente Allende (1973). El gobierno de Estados Unidos trató siempre de evitar el progreso del socialismo, que se había manifestado como un movimiento con vocación universal, y hacerlo retroceder donde fuera posible sin reparar mucho en los medios necesarios para ello, aunque se contradijeran con los mismos principios que decían defender. Pero la guerra fría despertó en el mundo occidental, como el escritor Solzhenitsin y el poeta Eugeni Yevtushenko lo testimonian en el mundo soviético, las protestas del pensamiento solidario, que no se resignaba a llevar el enfrentamiento entre las dos potencias atómicas al exterminio mutuo y de toda la estirpe humana. El arquitecto, planificador urbano e historiador americano Lewis Mumford lo expresaba muy bien en una carta al *New York Times* en marzo de 1954:

> En un momento fatal los miedos que nosotros mismos nos inducimos pueden producir el incalculable e irreversible holocausto que nuestras propias armas nos han dado motivo para temer. Sólo el valor y la inteligencia del más alto nivel, respaldados por una discusión abierta, nos darán fuerza para apartarnos del camino suicida que hemos seguido ciegamente desde 1942...
>
> Hay muchos cursos alternativos a la política a que nos hemos comprometido, prácticamente sin debate. La peor de todas estas alternativas, sumisión al totalitarismo comunista, sería incluso más sabia que la destrucción final de la civilización. Aunque la mejor de estas alternativas, una política de trabajo firme hacia la justicia y la cooperación con libre intercambio con todos los pueblos, en la creencia de que el amor engendra amor tanto como el odio engendra odio, sería muy probablemente el único instrumento capaz de perforar la dura coraza política de nuestros actuales enemigos.[9]

LOS MOVIMIENTOS DE LIBERACIÓN

No todos los procesos de descolonización se hicieron pacíficamente. En algunos países las potencias coloniales no se resignaron a seguir la tendencia de los tiempos: los

---

9. Lewis Mumford, *The New York Times*, 28 de marzo de 1954.

franceses en Argelia y Vietnam, los portugueses en Angola y Mozambique. También fue violenta la separación de India y Pakistán. Los pueblos tomaron las armas, ayudados a mayor o menor distancia por la Unión Soviética, y emprendieron «guerras de liberación» que cautivaron la atención de los países occidentales. También se puede inscribir en este esquema de lucha a la revolución cubana, que triunfó en 1959, aunque fuera por librarse de un dominio casi colonial. Estas luchas despertaron solidaridades inesperadas entre los ciudadanos de los viejos países coloniales, las viejas solidaridades de la utopía socialista que ya se habían manifestado en España en 1936 florecieron por todo el mundo occidental y formaron parte importante de la explosión de mayo de 1968.

La ayuda al desarrollo

Desde el Plan Marshall en 1948 hasta las ayudas a los países afectados por el huracán Mitch cincuenta años después, los países ricos se han sentido con la obligación de ayudar a los países más pobres que ellos. La motivación que les llevó a hacerlo ha sido muy variada y muy mezclada, pero la ayuda a los países más pobres ha sido una de las grandes empresas de cooperación y de solidaridad de los tiempos modernos. El Plan Marshall, probablemente la operación de cooperación al desarrollo con más éxito de la historia, dio la pauta y definió la filosofía de lo que habría de ser la ayuda al desarrollo de los años venideros. En una conferencia en la Universidad de Harvard el 5 de junio de 1947 el secretario de Estado, George Marshall, decía:

> La verdad de las cosas es que las necesidades de Europa, en los próximos tres o cuatro años, de alimentos y otros productos esenciales, principalmente de (Norte)América, son mucho mayores que lo que ahora se pueden pagar, de forma que o se les ayuda de una manera sustantiva o tendrán que enfrentar un deterioro social y político de muy graves consecuencias. [...] Además del efecto desmoralizador para el mundo en general y de las convulsiones que pueden resultar de la desesperación de

los pueblos implicados, las consecuencias para la economía de Estados Unidos tienen que ser patentes a todo el mundo. Es lógico pues que Estados Unidos haga todo lo que sea capaz para ayudar a que vuelva la salud económica al mundo, sin la cual no habrá estabilidad política ni una paz duradera. Nuestra política no está dirigida contra ningún país o política, sino contra el hambre, la pobreza, la desesperación y el caos. Su objetivo tendrá que ser el restablecimiento de una economía que funcione en el mundo para que permita el surgimiento de las condiciones políticas y económicas en las cuales puedan existir instituciones libres.[10]

La ayuda al desarrollo desde entonces siempre ha sido ayuda propia además de ayuda a los prójimos. Pero comoquiera que sea, la ayuda al desarrollo practicada regularmente por los países ricos ha ido concienciando a los ciudadanos de los países ricos de la necesidad de compartir la prosperidad y los bienes materiales con los menos dotados o los menos afortunados. Y éstos han ido aceptando el principio de la ayuda al desarrollo como una cosa lógica y natural. El concepto, sin embargo, fue desarrollado por la Asamblea General de las Naciones Unidas, donde los países que necesitaban ayuda eran mayoría, en diversas reuniones. El 19 de noviembre de 1961 se acordó que los años sesenta se declararan como la «Década de las Naciones Unidas para el Desarrollo». En sus «propuestas de acción» se dice:

> Es asombroso el hecho de que, en una época en que la abundancia está empezando a ser la condición, al menos en potencia, de países y regiones enteras y no sólo de individuos aislados, al mismo tiempo que las proezas científicas superan los más atrevidos sueños anteriores de la Humanidad, resulte que hay en el mundo más seres que padecen hambre y necesidad que en ninguna época anterior. Tal situación es intolerable y tan contraria al verdadero interés de todas las naciones que debe llevar a los países avanzados juntamente con los países en

10. *The Marshall Plan*, en Richard Hofstadter y Beatrice K. Hofstadter, 1982, *Great Issues in American History*, vol. III, Vintage Books, Nueva York, p. 410.

desarrollo a acabar con este estado de cosas [...] Al iniciarse la década para el desarrollo de las Naciones Unidas estamos empezando a comprender los verdaderos objetivos del desarrollo y la naturaleza de ese proceso. Estamos aprendiendo que el desarrollo no sólo se refiere a las necesidades materiales del hombre, sino también a la mejora de las condiciones sociales en que vive y a sus más amplias aspiraciones humanas. El desarrollo no es sólo crecimiento, sino crecimiento más cambio.[11]

El aprendizaje ha sido en verdad largo y costoso. Con muchos intentos fallidos y muchas interferencias políticas en la racionalidad económica de los procesos de desarrollo. Los países ricos han gastado es este medio siglo millones de millones de dólares en la ayuda al desarrollo con un resultado muy diverso: desde éxitos resonantes como Israel, Turquía, Taiwan, Corea del Sur, Singapore, México, Portugal —y España, que en aquella fecha era un país en vías de desarrollo—, que salieron adelante con ayuda internacional, a los fracasos en África Subsahariana, Centro América y Asia Meridional, donde cincuenta años después, pasadas varias «décadas del desarrollo», la pobreza y el subdesarrollo junto con la guerra siguen siendo la condición dominante en aquellos países. Mucho se podría escribir, y yo de hecho he escrito mucho, sobre el tema de la ayuda al desarrollo, pero aquí sólo la quiero consignar como una empresa del espíritu humano, llevada a cabo en la segunda mitad del siglo XX con una profundidad y a una escala nunca imaginada en siglos anteriores. A pesar de todos su fallos y mezquindades, se la debe considerar como un hito o jalón de esta marcha de la humanidad hacia un concepto y una práctica de la solidaridad más amplios y profundos.

Desgraciadamente, en los últimos años (escribo esto a finales de 1999) la ayuda al desarrollo está disminuyendo notablemente. Con lo cual se aumentan las sospechas de que la guerra fría fue el motivo dominante de la ayuda al desarrollo, ayuda para que los países nuevos no cambiaran

11. United Nations, 1962, *The United Nations Development Decade*, Nueva York, p. V.

de campo. La ayuda de los países miembros de la OCDE ha sido en 1998 la más baja de todos los tiempos, o sea, desde que se practica esta ayuda y se recogen estadísticas de ella. En promedio no se destina más del 0,23 % del PIB, en vez de aquellas metas ideales del 0,7 % del PIB que propuso la Asamblea General de las Naciones Unidas al proclamar la segunda década del crecimiento. Estados Unidos da menos del 0,1 % de su PIB. El historiador Paul Kennedy ha tenido que inventarse lo de los «países pivotales», es decir, los países en desarrollo esenciales para el equilibrio mundial, para que no se abandone del todo la ayuda al desarrollo.[12] Las razones de esta decadencia pueden ser varias: cansancio de ayuda o desesperanza al ver el magro resultado de tanto dinero desaprovechado en África, Asia y América Latina; las necesidades de reducir el déficit fiscal de los países ricos, y sobre todo la desaparición de la amenaza de una alternativa y de la posibilidad de un paso al enemigo de Estados Unidos. La ayuda oficial está retrocediendo, pero la ayuda privada va hacia arriba con gran pujanza, lo que muestra que la solidaridad se mantiene viva en este campo.

El nuevo orden económico internacional

En el mismo contexto de la Asamblea General de las Naciones Unidas, que siempre ha sido una plataforma para la mayoría de los países en vías de desarrollo y un foro para temas de solidaridad internacional, se planteó en los años setenta el cambio de las estructuras sociales y económicas que, según muchos analistas, producen los resultados de pobreza y subdesarrollo. En la VI Sesión Extraordinaria de la Asamblea General de las Naciones Unidas en 1974 se hizo la Declaración y Programa de Acción con vistas a un Nuevo Orden Económico Internacional. Algunas de sus ideas fueron:

---

12. Robert S. Chase, Emily B. Hill, Paul Kennedy, 1996, «Pivotal States and U.S. Strategy», *Foreign Affairs*, vol. 75, n. 1, pp. 33-51.

La construcción de un nuevo sistema monetario internacional que responda mejor a las necesidades de los países subdesarrollados [...] La elaboración de nuevas reglas y nuevos mecanismos en el comercio de los productos primarios [...] La puesta en marcha de mecanismos que permitan un mayor acceso a los mercados de los países ricos de las manufacturas de los países en vías de desarrollo, así como condiciones favorables para la transferencia y asimilación de tecnología [...] La reducción progresiva de la enorme bipolaridad que se da entre el Norte y el Sur, herencia de otras épocas, lo que debe implicar una mayor potencia negociadora del Sur y un reforzamiento de su poder frente al Norte [...] La cooperación entre los países desarrollados es la condición previa para avanzar en la autonomía colectiva.[13]

A esta declaración siguieron otros estudios: el Club de Roma, presidido por Ian Tinbergen, publicó en 1976 *Reshaping the international order*, y el *Informe Brand* entre los más famosos. Los organismos internacionales, el Fondo Monetario, el Banco Mundial y los bancos de desarrollo entraron en esta dinámica, aunque con mucho menos entusiasmo. En 1973 se había dado por terminado el sistema de tipos de cambio fijos que había salido de la Conferencia de Bretton Woods y que había sido un buen instrumento para la reconstrucción de Europa y el relanzamiento del comercio y la inversión internacionales. Las subidas de los precios del petróleo, en 1973 y 1979, supusieron enormes riquezas para los países productores, por un lado, y grandes dislocaciones en las economías de los países importadores —España entre ellos—, por otro. Como una secuela de estos cambios se generó un tremendo problema, para los bancos y países deudores, cuando los préstamos soberanos de muchos países, sobre todo de América Latina, se declararon de «difícil cobro».

Con todos estos problemas sobre la mesa, los países parecieron ponerse a considerar en serio una estructuración más justa y eficiente de los intercambios comerciales y de los movimientos de capitales. Se llevó el tema del

---

13.   Resumido de José Luis Sampedro y Carlos Berzosa, 1996, *Conciencia del subdesarrollo, veinticinco años después*, Madrid, Taurus, pp. 240-241.

«nuevo orden económico internacional» a foros como las Conferencias de las Naciones Unidas sobre el Comercio y el Desarrollo (UNCTAD) y a las rondas negociadoras del GATT, pero cada cual entendía el orden nuevo de una manera distinta, según la dirección a que apuntaban sus intereses nacionales. No hubo acuerdo, los problemas se fueron solucionando de una manera favorable a los países ricos (el de la deuda, por ejemplo, al cubrirse contra sus malas inversiones los bancos acreedores), se perdió el ímpetu para reformas y se buscó la salida en una mayor liberalización de los mercados para promover la integración de todas las economías nacionales en una vasta red global de comercio e inversión. Así nace el fenómeno de la globalización, que ha supuesto una marcha atrás de muchas de las conquistas que, a nivel nacional, habían hecho los nuevos países industrializados.

El ejemplo más reciente es el de los «tigres asiáticos», orgullo de los organismos internacionales, pero destrozados por la crisis de 1998. La globalización, sin embargo, a pesar de lo que tiene de retroceso, ha puesto de manifiesto la mayor dependencia entre personas y naciones, que requiere una mayor solidaridad para que funcione y no lleve al caos, como he argumentado en mi libro anterior sobre la solidaridad.

La existencia de un modelo alternativo

Ya hemos visto que, con toda probabilidad, la existencia de un sistema económico alternativo al capitalismo, que se enfrentaba al mundo occidental no solamente con sus doctrinas y sus prácticas, sino también con sus armas atómicas, suministró motivos a éste para la ayuda externa. De alguna manera la existencia de una alternativa, que se percibía como una amenaza inmediata, hizo que el capitalismo de la segunda mitad del siglo xx fuera más humano, más abierto y más negociador que en épocas anteriores, en las que nadie disputaba su dominio del mundo.

De esta forma se creaba un ambiente más receptivo a las reivindicaciones del socialismo, siempre que no fuera soviético, a los intereses de la clase trabajadora, e incluso para con los partidos comunistas occidentales en la medida en que no fueran de la observancia de Moscú. Eso condicionó mucho los comportamientos del sistema capitalista, contribuyó a hacer posible el establecimiento del Estado del bienestar y la mayor injerencia de los gobiernos en la economía. No quisiera dar la impresión, sin embargo, de que atribuyo a la existencia de un socialismo hostil todos los desarrollos, progresos y cambios positivos de la humanidad que he reseñado hasta aquí. Creo que, además del miedo al comunismo, había otros estímulos en juego, como pudo ser la solidaridad entre clases sociales generada en las trincheras o en los refugios antiaéreos, o la influencia de unas iglesias despertadas por fin a los valores universales de los derechos humanos y la democracia, pero el comunismo contribuyó a crear un ambiente entre los ricos y los poderosos más propicio a escuchar las quejas de las clases subordinadas.

A pesar de la enorme destrucción que tuvo que sufrir la Unión Soviética en la segunda guerra mundial (1939-1945), en la que se estima que perdió más de veinte millones de personas, en los años cincuenta surgió como la segunda potencia atómica y militar del mundo. Su sistema de planes quinquenales produjo espectaculares resultados a base de una masiva aplicación de factores productivos, sobre todo capital y trabajo, a la industrialización y la reforma de la agricultura. Los países que empezaron la vida independiente después de la guerra consideraban a la industrialización como la quintaesencia del desarrollo económico. Puestos a buscar ejemplos de una industrialización rápida en el siglo XX, los países nuevos se sintieron atraídos irremisiblemente hacia la Unión Soviética, no tanto por su modelo de sociedad cuanto por su modelo de economía, su sistema de movilización racional y ordenada de los recursos, que le había llevado de ser un vasto imperio agrícola subdesarrollado en 1919 a la segunda potencia atómica en 1949. La India tomó de la URSS el sistema de planificación económica, adaptándola a una sociedad básicamente democrática. Por otra parte, algunos gobernantes y sectores amplios de la intelectualidad de esos nuevos países sí que se sintieron atraídos por el ideal del socialismo, que en ese momento de la historia sólo se había materializado en la Unión Soviética y los países de su entorno. Los intelectuales de izquierda de los nuevos países idealizaron el socialismo sin querer entrar seriamente en el análisis del socialismo real, ni aceptar los análisis que hacían otros, con la ilusión de crear su propia forma autónoma de socialismo. No creo, sin embargo, que ningún gobernante de los nuevos países se sintiera atraído por el modelo estalinista que se había desarrollado a partir de la guerra. Muchos, finalmente, creyeron que la no alineación entre el capitalismo y el comunismo era una alternativa genuina y factible de abrazar. El «Movimiento de los No Alineados», que trató, inútilmente, de zafarse de los compromisos de la guerra fría, fue un intento de introducir en el mundo un tipo de desarrollo original, inclinado a los valores de la solidaridad y el comunitarismo. Se vio comprometido, sin embargo, en los momentos de crisis cuando su posición hubiera sido más necesaria y al final se hizo irrelevante.

En cualquier caso la existencia de una alternativa al sistema capitalista como se manifestaba por excelencia en Estados Unidos y en las metrópolis coloniales les dio a los países nuevos una esperanza de organizarse de otra manera más en consonancia con sus tradiciones y valores sociales y no menos efectiva para un desarrollo rápido. Les dio, además, una oportunidad para negociar con las potencias, o si se quiere más brutalmente, para vender su alineación con Occidente a cambio de protección y ayuda económica. La desaparición de esa alternativa ha tenido sus consecuencias. Algunas positivas, en cuanto se han restablecido las libertades políticas de millones de ciudadanos y se ha unificado el mundo en la afirmación de la economía libre de mercado. Pero también ha habido consecuencias negativas, como la tentación de abandonar a su suerte a los países con mayores problemas de gobernabilidad y desarrollo, ya que no pueden pasarse al campo contrario.

La doctrina social de las iglesias
y la teología de la liberación

Una fuente de inspiración, a partir de la segunda mitad del siglo, para quienes buscaban mayor justicia social fue la doctrina y pronunciamientos de las iglesias cristianas, y, muy en particular, por lo sistemático y público de sus pronunciamientos, la Iglesia católica. El pensamiento social de las iglesias ha sido muy importante para consolidar la lucha por la justicia social, por lo menos en los países más desarrollados del mundo occidental. Los papas, impresionados por el fascismo, un movimiento cuya malicia o no vieron o no quisieron ver al principio y que en todo caso tardaron en condenar, pasaron por un proceso de conversión política, abrazando la democracia y las libertades individuales con un entusiasmo muy lejano de aquello de que «el liberalismo es pecado» de Pío IX.

En el pensamiento social de las iglesias, ya desde la encíclica *Quadragessimo Anno* de Pío XI en la víspera de la segunda guerra mundial, se trata de buscar un camino medio —una tercera vía decimos ahora— entre el comunismo ateo y el capitalismo de los excesos individualistas y no menos ateo. Las iglesias tratan de llevar a los pueblos occidentales a un capitalismo humanizado y justo, sin explotación ni abusos de poder, ya se llame «economía social de mercado» o «socialdemocracia», en la que la propiedad privada, cuya vigencia se reconoce, tenga una función social, se garanticen las prestaciones del «Estado del bienestar» (¡del que la Iglesia no ha dejado de ser acérrima defensora!), se tenga una política de pleno empleo, los salarios sean «justos» y se dé una cogestión de las empresas donde esto sea técnica y políticamente posible.

La doctrina social de las iglesias cristianas defiende con valentía y claridad que se debe ayudar al desarrollo de los países pobres:

> Pero el problema tal vez mayor de nuestros días es el que atañe a las relaciones que deben darse entre las naciones económicamente desarrolladas y los países que están aún en vías de desarrollo económico: las primeras gozan de una vida cómoda;

los segundos, en cambio, padecen durísima escasez. La solidaridad social, que hoy día agrupa a todos los hombres en una
única y sola familia, impone a las naciones que disfrutan de
abundante riqueza económica la obligación de no permanecer
indiferentes ante los países cuyos miembros, oprimidos por
innumerables dificultades interiores, se ven extenuados por la
miseria y el hambre y no disfrutan, como es debido, de los derechos fundamentales del hombre. Esta obligación se ve aumen-
tada por el hecho de que, dada la interdependencia progresiva
que actualmente sienten los pueblos, no es ya posible que reine
entre ellos una paz duradera y fecunda si las diferencias económicas y sociales entre ellos resultan excesivas.[14]

Desgraciadamente, las autoridades eclesiásticas de los
países más pobres, aliadas normalmente con las oligar-
quías dominantes y enfrentadas con sus masas pobres y
con los fantasmas del comunismo —y con los comunistas
de carne y hueso— no quisieron aplicar estas sublimes
doctrinas sociales en los países que más las necesitaban.
La conducta escandalosa de la Iglesia oficial en los países
católicos del mundo pobre, en América Latina sobre todo,
propició el surgimiento de la teología de la liberación.
Este movimiento intelectual y organizativo asumió mucho
de la crítica al capitalismo —básicamente de origen mar-
xista— y lo combinó con una lectura social —aunque pro-
fundamente auténtica— de la Biblia para alimentar un
impulso de protesta y contestación en esos países, a la vez
que de organización de «comunidades populares de base».
Estas comunidades, que rescataron la tradición primitiva
del cristianismo de los apóstoles, trataron de llevar a la
vida práctica las excelsas enseñanzas del Evangelio de
Jesús de Nazaret.

Las peripecias de la teología de la liberación reverbera-
ron por todo el mundo occidental rico y dieron un nuevo
impulso a la solidaridad con los países del mundo pobre.
Ayudaron también a alumbrar una nueva veta de espiritua-
lidad de crítica social dentro de la Iglesia, que fue mucho
más allá de la doctrina social, y acabaron desatando la iras

14. S. S. Juan XIII, 1961, *Mater et Magistra*, n.º 157.

de un Papa autoritario, intransigente, anticomunista y muy sensible a la pérdida de autoridad dentro de la institución eclesial.

Las organizaciones no gubernamentales

Un elemento característico del avance de la solidaridad a finales del siglo XX es la movilización de la sociedad civil para ofrecer solidaridad política y económica a los pueblos pobres y oprimidos. Esta movilización ha tomado muchas formas organizativas, que se suelen describir negativamente como *organizaciones no gubernamentales*, es decir, organizaciones que no son oficiales, en el sentido de que no están organizadas ni dirigidas por las autoridades —del nivel que sean— para sus fines políticos específicos. Aunque el nombre no lo indica, se entiende generalmente que estas organizaciones no son empresas privadas comerciales o de lucro, sino que son organizaciones no gubernamentales y sin fines de lucro. Su origen se suele remontar a formas de organizar la solidaridad con los países, pueblos, luchas, reivindicaciones y necesidades del mundo pobre. Los misioneros y misioneras de las congregaciones religiosas, por ejemplo, ahora organizados formalmente como ONG la mayoría de ellos, lo eran de hecho hace muchos años, aunque los objetivos de solidaridad humana estuvieran muchas veces subordinados al proselitismo y la conversión a su religión. Muchas personas y grupos políticos se unieron en agrupaciones específicas para dar solidaridad a los movimientos de liberación en Argelia, Cuba, Vietnam, Nicaragua, Mozambique, El Salvador, etc. Otros se organizaron expresamente para canalizar ayudas económicas privadas para financiar proyectos de desarrollo.

No seré yo quien idealice en exceso este vasto y pintoresco mundo de las ONG, en el que caben todo tipo de excentricidades, exageraciones, abusos y sinvergüenzas junto a una mayoría de personas generosas, desinteresadas, idealistas y sensatas. Pero, a pesar de todas las críticas más o menos fundadas que se pueda hacer a las ONG, me atrevo a afirmar que, como movimiento espontáneo de la sociedad civil a favor de la solidaridad, son un avance enorme en este proceso de la humanidad que tratamos de describir y analizar en este libro a través de los tiempos. Es un hito importante en el peregrinar hacia la fraternidad universal consecuente. La existencia de un mundo de ONG en expansión es una señal de los tiempos, una señal contradictoria que atrae precisamente a jóvenes criados en una sociedad donde el principio de conservación, la sobrevivencia de los más fuertes y el hedonismo que el dinero permite parecen ser los valores más en boga. Para mí es una señal de lo que se ha avanzado en este camino.

Paralelo es el fenómeno del voluntariado, fenómeno igualmente contradictorio en un mundo rehén del mercado donde todo se hace por dinero. Hay miles de jóvenes —y personas que no lo son tanto— que entregan parte sustancial de sus energías y de su tiempo al servicio de personas enfermas, discapacitadas, pobres o solitarias. Otros viajan y se encierran en aldeas perdidas en el Altiplano boliviano o en la selva de Guatemala para ayudar con sus conocimientos y sus energías a gente necesitada. Y que no me digan que lo hacen por espíritu de aventura... El espíritu de aventura se le acaba a la mayoría de la gente cuando tienen que compartir las dificultades de la vida real de los desheredados. De ahí en adelante tienen que funcionar los motivos de la solidaridad para perseverar en una vida muy sacrificada, de poco relumbrón y con muy poco que contar a la vuelta.

La liberación de la mujer

Una de las razones para ser optimista al enjuiciar el avance de la solidaridad en nuestra cultura y en nuestros comportamientos sociales, ahora que termina el siglo XX, es lo mucho que ha mejorado la suerte de la mujer. Desde la Vindicación de los Derechos de la Mujer de Mary Wollstonecraft en 1791 y la Declaración de Sentimientos y Resoluciones (julio de 1848), debido en gran parte a Lucretia Mott y Elisabeth Cady Stanton, las organizadoras de la Seneca Falls Convention, hasta las declaraciones y conclusiones de la Cuarta Conferencia Mundial sobre la Mujer, celebrada en Beijing, la capital de China, en 1995, el progreso ha sido considerable, aunque sea insuficiente. La situación de los derechos de la mujer varía dramáticamente en diferentes países, y a veces entre grupos sociales dentro del mismo país. Tenemos en un extremo la situación que los talibán han impuesto en Afganistán, que perpetúa las peores discriminaciones legales y de hecho contra la mujer perpetradas en la historia de la humanidad. Tenemos aquí en España, y en todos los países ricos, el enorme problema de los malos tratos a las mujeres que llegan no rara vez al asesinato. Las mujeres tienen ya el derecho a votar en casi todos los países del mundo[15] (Suiza fue uno de los últimos en reconocerlo), que ha sido una difícil victoria de los movimientos sufragistas, pero la participación de las mujeres en la toma de decisiones políticas sigue siendo limitada.

Aunque en 1994 había diez países donde las mujeres estaban al frente de sus respectivos gobiernos, había todavía más de cien países en cuyo parlamento no se sentaba ninguna mujer. Por el contrario, hoy en día las mujeres constituyen casi el 70 % de los pobres del mundo («la pobreza tiene rostro femenino»), a pesar de las iniciativas a nivel internacional para imponer la igualdad de remuneración en el trabajo a hombres y mujeres. Mientras las mujeres representaban el 32 % de la fuerza de trabajo mundial en 1990, el porcentaje de mujeres en puestos de responsabilidad es mucho más bajo, de manera que en esa fecha sólo el 8 % de los puestos directivos superiores en las empresas norteamericanas estaban ocupados por mujeres. En el mundo sólo el 1 % de los ejecutivos son mujeres. Sin embargo, en muchos países de Europa del Este, América Latina y Asia el número de estudiantes universitarios femeninos es mayor que el masculino. Pero cuando salgan graduados, los hombres obtendrán los mejores trabajos.

Queda mucho por hacer, pero el cambio ha sido impresionante: en el campo de los derechos políticos y sociales,

15.   Las mujeres norteamericanas ganaron el derecho al voto en 1920, para lo cual hubo que cambiar la Constitución americana, enmiendas 14 y 15.

sobre todo. Lejos están los tiempos en que las mujeres no podían votar, no podían hacer testamento, no tenían la «patria» potestad, ni recibían de los tribunales donde se tramitaba una separación la tutela de los hijos, los tiempos en que las mujeres no estudiaban en la universidad y sólo trabajaban de secretarias, cuando nada tenían que decir sobre el número de hijos que «les daba Dios», ni sobre la disposición y uso del patrimonio familiar, etc. Han sido cambios en las condiciones de la mujer debidos a cambios en las creencias y actitudes de los hombres, en primer lugar, sobre el papel que el género debe jugar en la distribución del trabajo, las responsabilidades, los costes y las ventajas de las relaciones personales y sociales. Cambio ha habido también en las creencias y actitudes de las mujeres mismas sobre su papel en la sociedad. Los cambios no se han dado gratis, sino que han requerido muchas luchas y mucho trabajo de concienciación a todos los niveles por parte de las mujeres y los hombres que han dirigido el «movimiento de liberación de la mujer». A veces los cambios han ido más rápidos en la esfera de las leyes que en la esfera del comportamiento de las personas en el interior de las familias y de las empresas... Pero no se pueden negar los avances conseguidos, ni, sobre todo, la sensibilidad, disposición y apertura crecientes en la sociedad para reparar esta gran falta de solidaridad y de sentido común, y, en definitiva, la gran injusticia que es el trato discriminatorio dado a la mujer a través de los siglos.

La globalización como ideología

Mirando con serenidad el curso de la historia a lo largo del siglo XX, se puede detectar este proceso, complejo, ambiguo y aun contradictorio, de acercamiento de la humanidad hacia una sociedad humana más racional, justa y solidaria. Todavía falta mucho para llegar a la meta. Ahora, sin embargo, se ha puesto en marcha un movimiento ideológico, político y organizativo que amenaza de una manera radical el avance que todavía nos queda hacia la solidaridad. Me refiero a esa utopía conservadora que algunos llaman «pensamiento único», pero que, a mi entender, más que un pensamiento es un programa de acción basado en algunos simples principios y en una interpretación parcial e interesada de la realidad presente. Es un programa de acción para crear un enorme espacio global de libertad institucional y política al motivo de lucro, al enriquecimiento de quienes tengan oportunidad para ello. El pretexto en que se funda este proyecto es la globalización de las relaciones humanas y, sobre todo, de las económicas que se está dando en nuestro tiempo. Se presenta el fenómeno de la globalización como una determinación histórica de orden casi apocalíptico («el fin de la historia») que no deja a la humanidad más salida que someterse a las leyes del mercado en todas sus actividades, con detrimento de otras racionalidades, otros valores y otros vínculos que han mantenido unida y relacionada a la especie humana.

Los promotores de esta utopía-programa nos quieren hacer creer que para sobrevivir en un mundo globalizado nos tenemos que relacionar todos con todos, en casi todo, a través del mercado. Y que fuera del mercado no hay relación beneficiosa ni duradera. Lo que implica que debemos establecer unas relaciones impersonales, atomísticas, donde cada actor individual se mueve única o principalmente por el motivo de lucro. Sobre esta base de la búsqueda de la ganancia personal en las relaciones con todos los demás se deben asentar las relaciones sociales, desde las más generales y abarcadoras hasta las más reducidas e íntimas. La racionalidad o mentalidad del mercado, como lugar donde nos encontramos con otros para sacar alguna ganancia, sustituiría a otras formas de relación y desde luego a la solidaridad, pero también a otros valores como la justicia, la fraternidad, la misericordia con los débiles y necesitados.

Hay que releer las estrafalarias utopías de Herbert Spencer en el siglo XIX para entender la mentalidad y el discurso que tienen los que dirigen el proceso de imposición de la lógica del mercado sobre las relaciones sociales y humanas: directores de empresa, profesionales de la economía, profesores universitarios, periodistas, o simple propagandistas. En ellos subyace la idea de que la sobrevivencia de los más dotados económicamente —o para las cosas económicas— sería un índice del avance de la especie humana, un avance vicario o representativo, a lo más. La idea de que la creación de riqueza por sí misma, aunque esté concentrada en las manos de unas pocas personas o empresas, es buena para la humanidad justifica esta concentración. En realidad es buena para ellos, los elegidos, los ganadores, los ventajistas. Por eso buscan ampliar la libertad de ataduras y controles por parte de la sociedad, que necesariamente es libertad mal distribuida, para enriquecerse más. Este comprensible intento a que les lleva una desmedida avaricia se presenta como una objetiva preocupación por el bienestar general, al que se relaciona positiva y directamente con el grado de libertad en los mercados.

La globalización en un hecho complejo, con muchos aspectos y dimensiones, que se puede manejar de distintas formas, que no determina de ninguna manera los comportamientos de la sociedad, y que, en concreto, no excluye sino más bien exige un comportamiento más solidario. Precisamente porque ahora los seres humanos somos dependientes, materialmente dependientes unos de otros, en una medida mucho mayor que nunca antes en la historia de la humanidad, necesitamos pensar más en los otros para que esta dependencia funcione. Se nos quiere hacer creer, sin embargo, que esta serie de fenómenos materiales —la facilidad y rapidez de las comunicaciones, el procesamiento electrónico de información, la integración de los mercados financieros, la apertura de las fronteras al comercio, la uniformidad del mundo de lo audiovisual, la expansión global de las empresas, con sus productos, multinacionales—, lleva necesariamente a la mercantilización de las relaciones personales y sociales.

Hay que rechazar este tipo de argumentos como lo que son, argumentos interesados que, de ser aceptados, beneficiarían a algunas personas y empresas, pero llevarían a acentuar una tendencia que ya es patente hacia la mala distribución de la riqueza, un aumento de las desigualdades y la exclusión de personas, grupos sociales y naciones enteras de los beneficios de la integración de las economías nacionales. Por el contrario, hay que redoblar los argumentos a favor de la solidaridad que se basan en la mayor interdependencia de los pueblos. Aunque no sea más que por el propio interés de las personas, grupos sociales y naciones que hoy se benefician de la globalización, la solidaridad es necesaria en un mundo donde no se pueden aislar los sufrimientos de los pobres, ni la rabia de los explotados, ni las acciones de los desesperados. Cada vez la opción es más urgente: o somos solidarios o nos atenemos a las consecuencias. Sin solidaridad crearemos un mundo en que la globalización será también la globalización del crimen organizado, de la extorsión, del terrorismo, del tráfico de drogas, de la emigración ilegal y descontrolada, y hasta la sangre derramada en guerras locales en países lejanos puede salpicar nuestras calles.

La mayoría de edad de la solidaridad

Aquí estamos ahora. La mayoría de edad, naturalmente, no significa la plenitud de la edad. A la historia de la formación del pensamiento solidario todavía le faltan muchos capítulos. Terminamos por ahora constatando grandes avances y una amenaza preocupante. En marzo de 1995 se celebró en Copenhague la Cumbre Social de las Naciones Unidas para preparar una agenda tendente a eliminar de nuestro planeta la guerra, la pobreza, las discriminaciones y las agresiones al medio ambiente. Los ideales formulados en esa cumbre no pueden ser más altos. Además, son ideales abrazados no por unos pocos visionarios, sino por amplios y diversos grupos de la opinión mundial, gentes que sienten vergüenza por lo irracional de los daños que todavía nos hacemos unos a otros y al planeta que a todos nos sustenta. Con todas las críticas que se puedan hacer a una asamblea de tan complicada y larga preparación, los acuerdos de la cumbre social son un nuevo hito para continuar la lucha solidaria de las personas, de los grupos y de los países. Hemos venido de muy lejos.

En este libro hemos tratado de dar al lector una idea de lo penosa y difícil que ha sido la marcha de la humanidad hasta llegar a las declaraciones y propuestas, y consecuentemente a las realidades, que consagran el pensamiento y el comportamiento solidario de cada hombre, cada grupo social y pueblo para con todos los demás de la Tierra con sinceridad y verdad. Estamos montados sobre una ola que avanza con ciertas contradicciones, pequeños episodios de retroceso y pérdida de ímpetu, como sucede en todos los movimientos grandes y complejos, pero la solidaridad avanza en la humanidad. A entender mejor este avance hemos querido contribuir con estas páginas.

ÍNDICE

Impreso en el mes de mayo de 2000
en HUROPE, S. L.
Lima, 3 bis
08030 Barcelona